D0528341

PRÉSENCE
DE
L'HISTOIRE

LES GRANDES HEURES
DES CITÉS
ET CHÂTEAUX DE LA LOIRE

DU MÊME AUTEUR

Chez le même éditeur :

LOUIS XVII.
MADAME ROYALE.
PHILIPPE ÉGALITÉ, le Prince rouge, *ouvrage couronné par l'Académie française, 1951.*
MARIE-ANTOINETTE, *ouvrage couronné par l'Académie française, 1953.*
LE GRAND SIÈCLE DE PARIS.
L'ALMANACH DE L'HISTOIRE.
LA DUCHESSE DE BERRY.
LES GRANDES HEURES DES CITÉS ET CHATEAUX DE LA LOIRE.
LE RENDEZ-VOUS DE VARENNES.
JOSÉPHINE. *Prix du Plaisir de lire, 1965.*
LES BATTEMENTS DE CŒUR DE L'HISTOIRE.
L'AIGLON NAPOLÉON II, *Prix Richelieu 1959 et Prix des Mille lecteurs, 1967.*
BONAPARTE.
NAPOLÉON.
LES GRANDES HEURES DE LA RÉVOLUTION (*six volumes par* G. LENOTRE et André CASTELOT : L'Agonie de la royauté ; La Mort du roi ; La Veuve Capet ; La Terreur ; Thermidor ; 18 Brumaire).
DESTINS HORS SÉRIE DE L'HISTOIRE.
DRAMES ET TRAGÉDIES DE L'HISTOIRE, *Grand Prix 1967 du Syndicat des écrivains et des journalistes, et pour l'ensemble de son œuvre.*
SARAH BERNHARDT.
LA BELLE HISTOIRE DES VOYAGES.
PRÉSENCE DE L'HISTOIRE.
LE CALENDRIER DE L'HISTOIRE.
L'HISTOIRE A TABLE.
NAPOLÉOD III, *Prix des Ambassadeurs, 1974.*
I. Des prisons au pouvoir.
II. L'Aube des temps modernes.
BELLES ET TRAGIQUES AMOURS DE L'HISTOIRE.
HISTOIRE DE LA FRANCE ET DES FRANÇAIS AU JOUR LE JOUR (*huit volumes en collaboration avec* Alain Decaux, Marcel Jullian et Jacques Levron).
« MY FRIEND LA FAYETTE... MON AMI WASHINGTON. »
VERS L'EXIL.
MAXIMILIEN ET CHARLOTTE. La Tragédie de l'ambition, *Prix du Cercle de l'Union, 1978.*
DE L'HISTOIRE ET DES HISTOIRES.
TALLEYRAND OU LE CYNISME.
AU FIL DE L'HISTOIRE.
DICTIONNAIRE DE L'HISTOIRE DE FRANCE *(Perrin)*. Sous la direction d'Alain Decaux et d'André Castelot.
L'HISTOIRE INSOLITE.

Théâtre

LA REINE GALANTE, comédie en deux actes et huit tableaux. *(L.A.P.).*
NAPOLÉON III A LA BARRE DE L'HISTOIRE *(L'avant-scène).*
TALLEYRAND A LA BARRE DE L'HISTOIRE *(L'avant-scène).*

« Son et Lumière »

LES GRANDES HEURES DE CHAMBORD. *Épuisé.*
LES IMPROMPTUS DE COMPIÈGNE. *Épuisé.*
OMBRES DE GLOIRE (Hôtel Royal des Invalides).

Chez d'autres éditeurs

LE FILS DE L'EMPEREUR. *Prix de littérature 1963 de la Fédération des parents d'élèves des lycées et collèges français. (Presses de la Cité, G.P. et Presses Pocket).*
MARIE-ANTOINETTE *(édition illustrée.) (Hachette).*
LE LIVRE DE SAINTE-HÉLÈNE *(reportage photographique). (Solar).*
LE NOEL DE CHARLEMAGNE *(G.P.).*
L'HISTOIRE DE FRANCE EN IMAGES *(France-Images, Figurine Panini).*

Éditions de luxe

LES GRANDES HEURES DE NAPOLÉON *(six volumes). Épuisé. (L.A.P.).*
LES QUATRE SAISONS DE L'HISTOIRE *(quatre volumes). (L.A.P.). Épuisé.*
LE LIVRE DE LA FAMILLE IMPÉRIALE en collaboration avec le général Koenig et Alain Decaux. *(L.A.P.).*
LE GRAND SIÈCLE DE LA PERSE *(L.P.). Épuisé.*
OMBRES VERSAILLAISES *(L.P.). Épuisé.*
NAPOLÉON BONAPARTE *(dix volumes). (Tallandier).*
ROMANS VRAIS DE L'HISTOIRE *(six volumes). (Tallandier).*
NAPOLÉON III ET LE SECOND EMPIRE *(six volumes). (Tallandier).*
L'AIGLON NAPOLÉON II *(trois volumes). (Tallandier).*

Presses Pocket

48, OU L'INUTILE RÉVOLUTION.

Textes

LE DRAME DE SAINTE-HÉLÈNE (Histoire de la captivité vue par les témoins). *(L.A.P.).*
SOUVENIRS INÉDITS du prince de Faucigny-Lucinge, *ouvrage couronné par l'Académie française. (L.A.P.).*
LA FÉERIE IMPÉRIALE (Le second Empire vu par les témoins). *(L.A.P.).*
CORRESPONDANCE DE Mme de Genlis et d'Anatole de Montesquiou. *(Grasset).*
L'ÉVASION DU MARÉCHAL BAZAINE DE L'ILE SAINTE-MARGUERITE, par le lieutenant-colonel Willette. *(L.A.P.).*

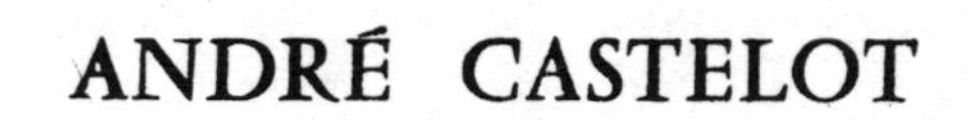
ANDRÉ CASTELOT

ANDRÉ CASTELOT

LES GRANDES HEURES
DES CITÉS
ET
CHÂTEAUX DE LA LOIRE

Nouvelle édition revue et corrigée

Illustrée par Alfred CATON

LIBRAIRIE ACADÉMIQUE PERRIN
PARIS

116, rue du Bac, Paris (7e)

ISBN 2-262-00068-9

(Giraudon)

LE CHATEAU DE SAUMUR. POL DE LIMBOURG (TRÈS RICHES HEURES DU DUC DE BERRY).

(Giraudon)

JEANNE D'ARC EST CONDUITE DEVANT CHARLES VII (VIGILES DE CHARLES VII).

AGNÈS SOREL A PRÊTÉ SES TRAITS A LA VIERGE.

(Giraudon)

DIANE DE POITIERS OU L'ÉTERNELLE JEUNESSE.

(Anderson-Giraudon)

DE L'HEURE D'AGNÈS AUX HEURES D'AMOUR.

H
G
D
A
C
F
B
D
F
C
B
E
G

LE TUMULTE D'AMBOISE. L'EXÉCUTION DES CONJURÉS SOUS LES YEUX DU ROI ET DES REINES.
(Cliché Rigal - B.N.)

L'ASSASSINAT, PAR POLTROT DE MÉRÉ, DU DUC FRANÇOIS DE GUISE DEVANT ORLÉANS, LE 18 FÉVRIER 1563.
(Cliché Rigal - B.N.)

L'ASSASSINAT DU DUC HENRI DE GUISE PAR LES QUARANTE-CINQ AU CHATEAU DE BLOIS.

(Cliché Rigal - B.N.)

LES PONTS-DE-
AU XVIIIe SIÈCI

LES GUERRES DE RELIGION. LES MASSACRES DE TOURS.

(Cliché Rigal - B.N.)

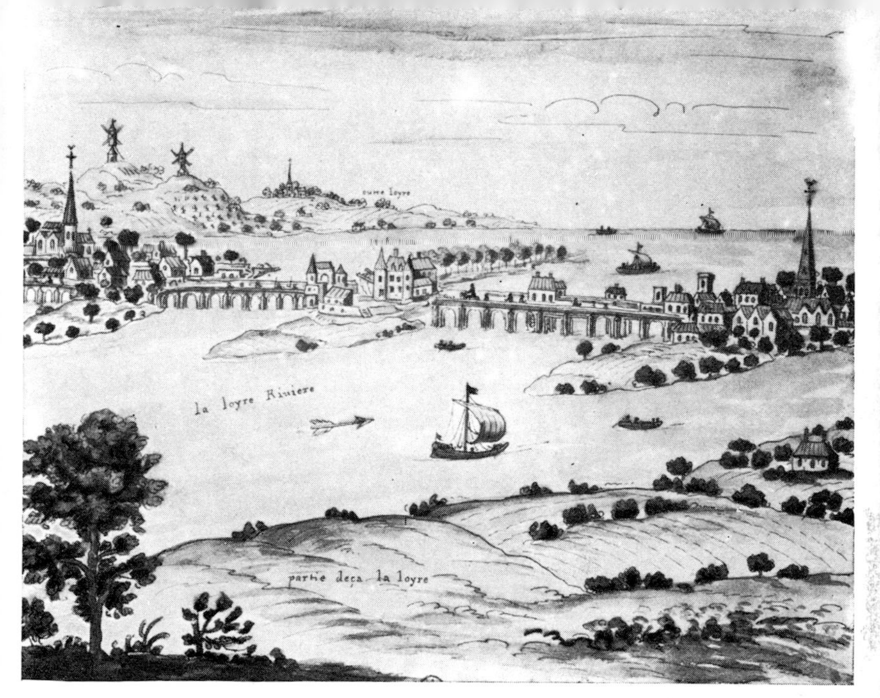

(Cliché Rigal - B.N.)

(*Cliché Rigal - B.N*

LOUIS XV CHASSANT A CHAMBORD.

A MES AMIS LILIANE ET ANDRÉ ROBERT.

L'HEURE DE LA LOIRE

La Loire est une reine et les rois l'ont aimée...

DANS la nuit du 28 au 29 mai 1418, les Bourguignons entraient dans Paris. Leur chef, le duc Jean sans Peur, devenait le maître, sinon de la France — alors en grande partie aux mains de l'Angleterre — du moins de la capitale. Qui aurait-on pu lui opposer ? Il avait fait assassiner le frère du roi, le duc d'Orléans, dont le fils, le doux poète Charles d'Orléans — l'un des vaincus d'Azincourt — commençait en Angleterre une captivité qui allait se prolonger jusqu'en 1440. Quant au roi Charles VI, il était fou depuis vingt-six années et la France, au lieu de déposer cette ombre d'homme, la gardait avec un curieux mélange d'affection et de superstition. Roi fol porte bonheur !... *mais la pitoyable situation du royaume faisait mentir le dicton. Pour tout arranger, la reine, la ventripotente Isabeau de Bavière, ne jurait que par le duc de Bourgogne !*

Jean sans Peur, protégé ainsi par la Bavaroise, pouvait parler et gouverner au nom du roi, en attendant de prendre le trône ou de l'offrir au vainqueur d'Azincourt : Henri V d'Angleterre qui, déjà, se proclamait roi de France. Qui pouvait en effet, prétendre à la couronne ? En moins d'un an, trois dauphins n'étaient-ils pas morts ? Et il ne restait plus sur les marches du trône qu'un malingre enfant de quinze ans : le chétif Charles, qui en paraissait à peine dix. Le supprimer serait une bonne œuvre !... Etait-il seulement le fils de Charles VI ? La grosse Isabeau était prête à jurer le contraire !

En cette nuit du 28 mai, tandis que les Bourguignons se répandent dans la ville et que commence le massacre des Armagnacs, l'un des serviteurs du dauphin, son maître d'hôtel, enveloppe l'enfant dans une couverture, réussit à sortir du Louvre et à gagner la campagne. Quelques minutes plus tard, le dauphin, suivi d'un petit groupe de partisans, galope sur la route de Melun.

Charles, devenu roi de France quatre ans après, ne rentrera dans sa capitale que vingt années plus tard ! Il ne s'y attardera d'ailleurs pas et, bien vite, regagnera la région que les événements, lorsqu'il n'était que roi de Bourges, l'avaient contraint de choisir comme résidence et où il se plaisait infiniment : Le Val de Loire.

Durant plus d'un siècle, ses successeurs suivront cet exemple ! Ensuite, et jusqu'à la fin du XVIe *siècle, les Valois-Angoulême séjournèrent plus longuement au jardin de la France que partout ailleurs.*

Il est donc permis de dire que si le

maître d'hôtel du petit dauphin avait eu l'esprit moins prompt, bien des châteaux ne mireraient peut-être point aujourd'hui leurs blanches façades et leurs toits bleus dans les eaux argentées de la Loire, de l'Indre, du Cher ou de la Vienne !...

Quels sont les motifs de l'engouement de la royauté pour l'Orléanais, le Blésois, la Touraine et l'Anjou ? Une raison de sécurité tout d'abord. Le roi se trouvait là loin des frontières sans cesse franchies par l'ennemi ; ensuite il pouvait gouverner le pays de son centre géographique ; enfin, et surtout, au bord de ce fleuve royal le souverain entendait battre le cœur de la doulce France. De cette harmonie, de cette beauté sereine, de cette mollesse de ligne, de ces sables blonds, de ces saules légers, de ces peupliers frissonnants, émanaient — et émanent toujours — grâce, goût et mesure, qualités maîtresses de la France. C'est bien ici le noyau *du pays !*

On affirme que les Normands remontèrent le fleuve, mais ils n'eurent pas le temps de débarquer et aucune influence étrangère n'est venue ternir la pureté de la race et surtout de la langue. Boileau souhaitera à tous les Français de parler « comme les crocheteurs du port au foin » de Paris, débardeurs qui étaient presque tous natifs du Val de Loire. Aujourd'hui encore les habitants du Val — Vallards *de l'Orléanais,* Varenniers *du Blésois ou de la Touraine,* Valléiais *de l'Anjou — parlent un français très pur. Sans doute les entendrez-vous s'exclamer lorsque les nuages couvrent le ciel, que le temps* s'emberdouille *ou en-*

core vous parler d'une rabattée *pour jauger une charge digne de remplir un bât... mais ces termes de patois ne dérivent que du vieux français.*

Au XVe *siècle les routes n'étaient que de lamentables pistes, mais en s'installant en Touraine, la royauté avait à sa disposition un véritable boulevard : Sa Majesté la Loire, déjà muselée entre ses levées, commencées par Henri II de Plantagenet et achevées par le roi Louis XI, se trouvait être navigable dix mois par an. Précisons qu'il y avait alors un peu plus d'eau dans le fleuve qu'aujourd'hui. La Loire, à force de saper ses berges et d'arracher des « matériaux » aux* terrasses *du Nivernais, a fini par encombrer fâcheusement son lit... Si encore les îles, que le fleuve a lui-même mises au monde avaient été solidement fabriquées ! Malheureusement, les matériaux employés sont par trop friables. Ces îles, toujours rongées du côté de l'amont, ne restent, au surplus, pas en place. Nos pères s'accommodaient mieux que nous de ces îlots baladeurs et de ces sables en promenade, et le poète Charles d'Orléans, père du futur Louis XII, nous dit même :*

En tirant d'Orléans à Blois
L'autre jour par eau venoye
Je rencontray par plusieurs fois
Vaisseaux ainsi que je passoye.

Des vaisseaux ? Exagération de poète ! La Fontaine nous parlera, lui aussi, de « majesté de navires *montant et descendant » la Loire ! Les gabares plutôt, dont la forme ne changera guère durant quatre siècles et Victor Hugo nous contera avoir rencontré du côté de*

Blois de grosses barques ayant mâts et voiles carrées.

On mettait, au minimum, six jours pour aller d'Orléans à Nantes... Lorsqu'on s'arrêtait pour déjeuner — comme Gaston d'Orléans de triste mémoire — à l'ombre des saulnaies ou luisettes, il fallait compter beaucoup plus... Parfois aussi la gabare, faute d'eau, demeurait ridiculement à sec.

Les victuailles suivaient le même chemin. L'Anjou recevait les Cotignacs et les Olivets bleus d'Orléans, les asperges du Blésois, les choux et les prunes de Touraine et renvoyait aux provinces de l'amont ses poires incomparables.

Terre de haulte gresse comme dira Rabelais, et cette richesse du sol a su retenir la royauté, comme aujourd'hui nous attirent les vins gouleyants de Touraine et d'Anjou, tel ce Bourgueil, qui vaut le Chambertin, tel ce Chinon dont Rabelais célébrait déjà le goût de « taffetas », tel, enfin, cet inoubliable et traître Montlouis qu'il faut bien se garder de boire avant de visiter un château, cela afin de ne pas peiner le gardien qui comprendrait mal votre hilarité devant tapisseries et plafonds sculptés.

Une digestion difficile est également incompatible avec la visite des châteaux. Pour savourer la beauté d'Azay, enchâssé dans sa rivière, mieux vaut ne pas avoir trop complaisamment fait honneur à ces extraordinaires boudins blancs de Tours farcis non pas de mie de pain, comme partout ailleurs, mais « simplement » de blancs de poulet ! Et c'est bien là un symbole de la richesse du pays.

Au début du XVe *siècle — à l'époque où Charles VII apparut sur les bords de la Loire — les donjons quadrangulaires de la fin du* X^e^ *et du* XIe *siècle, tels ceux de Montrichard, de Beaugency, de Montbazon, ne servaient plus d'habitation. Les demeures royales, le château de Chinon et surtout celui de Saumur, se présentaient sous un aspect qu'il nous est difficile d'imaginer aujourd'hui. On peut encore voir dans les* Riches Heures *du duc de Berry le château de Saumur ainsi qu'il s'offrait à l'époque aux yeux du voyageur arrivant par les coteaux couverts de vignes. Derrière un système défensif puissant — tours d'angle en demi-cercles, basses tours s'élargissant vers les douves — se dressaient, en un jaillissement de pierres, les fines tourelles blanches d'un logis gothique. Les boulets étaient, à l'époque, absolument inoffensifs. Au-dessus d'une vingtaine de mètres de hauteur, on aurait pu les arrêter avec la main ! Il suffisait donc d'avoir les « pieds » bien protégés...*

Lorsque l'artillerie fit les progrès que l'on sait, ces superstructures élégantes furent bien vite atteintes !

La Cour dut se résoudre à aller s'enfermer dans des bastilles fortifiées du genre du château fort de Langeais dont les grosses tours comprenaient — et comprennent toujours — deux ou trois étages de défense et étaient coiffées de poivrières. Sur la cour intérieure, on essayait bien d'ouvrir quelques fenêtres, mais la résidence n'en demeurait pas moins parfaitement sinistre. Aussi la Cour préféra-t-elle, surtout en temps de paix, aller demeurer dans ses logis, sans doute protégés par des enceintes et flanqués d'ouvrages de défense, mais au moins à peu près habitables : tels les châteaux de Loches, de Montreuil-Bellay, et du Plessis-lez-Tours, cher à Louis XI. A l'apparition du style flamboyant, ces logis furent, peu à peu, décorés de toits aigus, de combles spacieux, de fenêtres à meneaux et à croisillons. De même la décoration italienne viendra progressivement remplacer la décoration gothique.

Le règne de la Renaissance va bientôt s'ouvrir.

Il va triompher par l'abandon de la brique et l'engouement pour les dentelles de pierre. Hors les villes, les châteaux descendront dans les vallées. Plus de douves croupissantes ! La demeure se mire dans des divières, ou même enjambe le cours d'eau. L'appareil guerrier est maintenu, mais simplement afin d'indiquer aux passants qu'il s'agit là de la demeure d'un noble. Le bourgeois n'y avait point droit et l'on cite, comme un fait mémorable que le 12 septembre 1520, le marchand Bernard Salviati obtint l'autorisation d'armer son château de Paley de barbacanes, canonnières, mâchicoulis et autres choses défendables servant à maisons fortes, pourvu, toutefois, qu'au moyen desdites fortifications il ne puisse en aucune manière se dire seigneur châtelain ni avoir droit de guet et de garde.

On le voit, ces « dites fortifications » étaient bien un symbole entraînant certains privilèges.

Tout comme, aujourd'hui, « la rigole pour le sang » qui orne l'épée des académiciens, au XVIe *siècle ce qui subsiste de l'architecture féodale n'est plus qu'un simple décor. Le château fort médiéval est allégé, habillé par toutes les grâces et les fantaisies de la Renaissance. Le chemin de ronde est devenu balcon, les mâchicoulis ceinture décorative, le pont-levis un jouet pour dame amoureuse qui aime bien clore son château lorsqu'elle reçoit son amant, enfin la tourelle d'angle sert non à guetter l'ennemi, mais au petit matin, à regarder partir l'être aimé...*

Le style « château de la Loire » s'achèvera à Chambord par un éclatant feu d'artifice de pierre. En cinq siècles, le lourd donjon quadrangulaire a évolué et a fini par devenir une lanterne ajourée, un léger campanule entouré par une cour de trois cent soixante-cinq cheminées... Après le « caprice colossal » de Chambord, après ce « songe réalisé », les contemporains — on les comprend — ont soif de simplicité ! Et les arabesques de pierre feront place à la demeure classique du style Henri IV, style calme, mesuré, ordonné, bien français même par ses coloris : bleu par ses ordoises, blanc par ses pierres, rouge par ses briques... Mais ce ne sont pas les bords de la Loire qui en lanceront la mode. Le Val aura cessé de régner ! L'Ile-de-France le détrônera !

« D'une rive à l'autre de la Loire, a écrit Maurice Bedel, les siècles font des échanges de souvenirs. »

Chaque château évoque ainsi pour nous une scène, un mot, un geste ! Comme il est précieux de pouvoir se dire :

— C'était là, et rien n'a bougé !

Plaignons ceux qui dédaignent cette émotion sentimentale ! Ils se privent d'une grande joie !

C'est le donjon de Montrichard, où Blondel retrouva Richard Cœur de Lion, le roi que l'univers abandonne. *C'est la margelle du puits de Chinon qui permit à Jeanne d'Arc, arrivant de Vaucouleurs, de descendre plus commodément de son gros cheval lorrain. C'est la chambre du Plessis-lez-Tours, où Louis XI, avant de mourir, suppliait, en touchant ses médailles : « Ma bonne maîtresse, aidez-moi ! », tandis qu'à son chevet priait un ermite — un frère de l'ordre des Minimes — qui s'appellera un jour saint François de Paule...*

C'est Gien où — en dépit des destructions de 1940 — erre encore le souvenir de la régente Anne de Beaujeu..., « La moins folle femme de France, disait d'elle son père Louis XI, car pour sage, je n'en connais pas ! »

C'est à Langeais le coffre à doubles vantaux où la petite Anne de Bretagne rangea, le soir de son mariage, sa robe de noces, fourrée de zibelines ! C'est sur la terrasse d'Amboise, François Ier qui jouait au desport *ou qui, à Chambord, envoyait au-devant de Charles-Quint, en guise de bienvenue, des jeunes filles déguisées en nymphes.*

Que d'ombres féminines errent aussi de Nantes à Orléans !... A Chinon et à Loches c'est le clair visage de Jeanne et celui plus mystérieux d'Agnès, dame de Beaulté ; à Nantes et à Blois celui de la bonne duchesse Anne de Bretagne, femme de deux rois ; à Amboise et encore à Blois celui de sa fille, la mélancolique reine Claude qui donna son nom à une prune ; à Chenonceaux, on retrouve le souvenir de Diane à l'éternelle jeunesse, de la douce Marie Stuart, de Louise de Lorraine, femme de Henri III, la reine la plus effacée de notre Histoire et celui de la rude Madame Catherine, régente de France, mère de trois rois et dont le cadavre, à Blois, fut plus abandonné, nous dit un chroniqueur, que celui d'une chèvre morte.

Que d'heures sombres et sanglantes enfin !

Devant la façade du château d'Amboise, comment ne pas penser aux pendus qui se balançaient au balcon un soir de mai 1560 ? En passant sous les fenêtres de l'hôtel de ville d'Orléans, on croit entendre encore les cris déchirants du pauvre petit François II mourant de la mastoïdite. En voyant la pierre du duc, *ce rocher non loin des rives du Loiret, on imagine François de Guise s'y appuyant après avoir reçu le coup d'arquebuse de Poltrot de Méré. Mais le décor le plus évocateur est bien celui de cette chambre du château de Blois où Henri le Balafré fut assassiné par les* Quarante-Cinq, *tandis que le roi Henri, le cœur battant, écoutait d'une pièce voisine le bruit de la tuerie, le martèlement des pas, le cliquetis des épées et des dagues, les jurons des meurtriers et les soupirs de la victime.*

— Ah ! Messieurs... Quelle trahison !

Au Val de Loire on n'apprend pas l'Histoire, on la revit !

Mais il est une scène qui est, assurément, une des plus belles heures de l'Histoire de France et qui eut pour cadre le cœur même de la Touraine.

C'est, en effet, à Tours, au bord du plus français des fleuves qu'un matin de printemps 1589, se réconcilièrent Henri III et le futur roi Henri IV. Et l'on put voir le dernier Valois et le premier Bourbon, tous deux à genoux, se tenir longuement embrassés tandis que de leurs yeux tombaient de lourdes larmes de joie...

L'unité française était sauvée !

C'est par ce tableau que se terminent les Grandes Heures du Val de Loire.

Après, en dépit de la présence du Roi-Soleil, de Molière et, plus tard, du Maréchal de Saxe ou du comte de Chambord il n'y aura plus que de « petites heures » (1) *!...*

(1) *Je tiens à remercier ici très vivement M. P. Robert-Houdin, ancien conservateur des châteaux de Chambord et de Chaumont, M. Montrot, conservateur du musée du Grand-Pressigny, M. G. Cerclais, conservateur adjoint de la Bibliothèque municipale de Saumur, M. Bernard Vagnini, de Loches, M. l'abbé Jarry, et mes excellents confrères Jacques Nanteuil, Hubert Colleye et Georges Tournaire. Ils ont bien voulu me signaler les erreurs que j'avais pu commettre dans la première édition de cet ouvrage. Grâce à leur amabilité et à leur érudition, la présente édition peut, je crois, être considérée comme définitive.* (N. de l'A.).

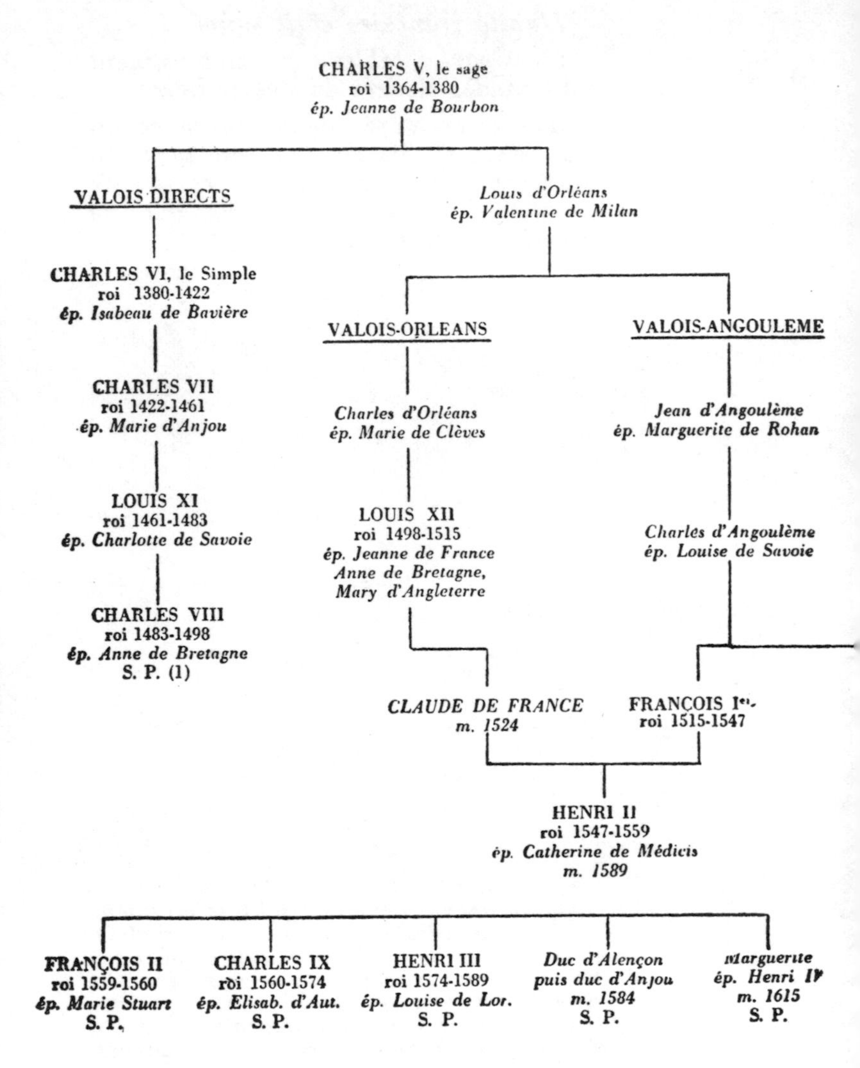

(1) Sans postérité.

TABLEAU SIMPLIFIÉ DES *VALOIS DIRECTS* DES *VALOIS - ORLÉANS,* DES *VALOIS - ANGOULÊME* DES *ALBRET-NAVARRE* ET DES *BOURBONS*

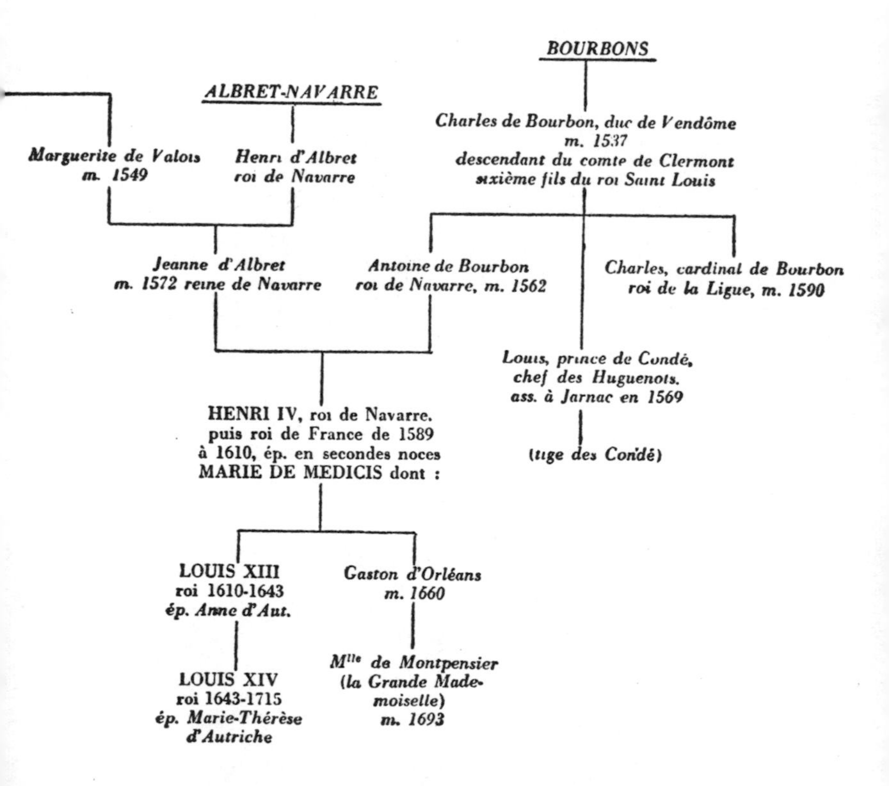

Et moi j'en connais un dans les Châteaux de Loire
Qui s'élève plus haut que le château de Blois,
Plus haut que la terrasse où les derniers Valois
Regardaient le soleil se coucher dans sa gloire...

Charles Péguy

I

L'HEURE DE JEANNE

Le vendredi 4 mars 1429, alors que le soir tombait, l'Aumônerie (1) de Sainte-Catherine de Fierbois, petit village situé sur le plateau de Sainte-Maure, à cinq cents mètres de la grand-route de Tours à Châtellerault, vit arriver un étrange groupe de pèlerins : six hommes d'armes entourant une jeune fille revêtue d'un habit d'homme. Ses cheveux étaient taillés en rond à la hauteur des oreilles, les tempes et le cou rasés « à l'écuelle » comme ceux d'un garçon. Elle portait un justaucorps noir et des chausses attachées par des aiguillettes. Des éperons brillaient à ses souliers lacés.

Six hommes et une femme ! Ils arrivaient de Vaucouleurs en Champagne, d'où ils étaient partis onze jours auparavant. Que de rivières grossies par

(1) Construite en 1400 par le maréchal de Boucicault, elle existe toujours. C'est aujourd'hui le presbytère.

les pluies n'avaient-ils pas dû passer à gué ! Que de nuits à la « paillade » dans quelque étable de rencontre ! Que de lieues au trot de ce mauvais cheval qui n'avait coûté que seize francs ! Mais la jeune fille était animée d'une étrange ardeur. Elle désirait aller à Chinon, dût-elle « y user ses jambes jusqu'aux genoux » ! Comment avait-elle fait pour traverser la France alors infestée d'Anglais et de Bourguignons ?..

— En nom Dieu, avait-elle déclaré en quittant Vaucouleurs, je ne crains pas les gens d'armes, car ma voie est ouverte ! Et s'il y en a sur ma route, Messire Dieu me fraiera la voie jusqu'au gentil Dauphin !

A peine arrivée dans sa chambre, la jeune fille, qui ne sait point écrire, dicte à l'un de ses compagnons une lettre destinée au roi. « Je lui disais, racontera-t-elle plus tard, que j'avais bien fait cent cinquante lieues pour arriver jusqu'à lui et que je venais à son secours. »

Et elle signe : *Jehanne Daye.*

Le lendemain matin, *Jehanne* va entendre trois messes à la vieille chapelle datant de l'époque de Charles Martel. Le dimanche 6, elle quitte Sainte-Catherine de Fierbois et, en évitant Saint-Epain occupé par les Bourguignons, arrive à l'entrée de L'Ile-Bouchard au confluent de la Vienne et de la Manse. Sur la rive droite, elle met pied à terre devant le portail roman de l'église Saint-Gilles (1) et assiste à la grand-messe.

C'est sa dernière halte.

Peu avant midi la petite troupe est arrêtée par le pont-levis de la porte de Bessé. On parlemente... La Pucelle est attendue. Le bruit de sa venue l'a

(1) L'église existe encore. Construite en 1069 elle avait été agrandie au XIIe siècle par deux portails romans. L'un d'eux, dédié à saint Jacques, est appelé dans le pays le *portail Jeanne-d'Arc.*

devancée. Les porteaux abaissent le pont et Jeanne, après avoir longé la collégiale de Sainte-Mexme (1), franchit un nouveau pont-levis — celui de la porte de Verdun (2) — et entre enfin dans Chinon.

Elle met pied à terre au centre de la cité, *au Grand Carroi,* autrement dit le Grand Carrefour. Au-dessus d'elle, Jeanne peut apercevoir la masse du château construit par Henri de Plantagenet et où, dit-on, était mort Richard Cœur de Lion (3).

C'est là, protégé par vingt hommes d'armes et trente arbalétriers, que réside le roi de France dit le roi de Bourges — le roi de Chinon serait presque plus juste ! Onzième enfant d'un père fou, le « gentil Dauphin », le chétif et lugubre Charles VII, n'est qu'un pauvre être au visage blême, aux yeux vairons, aux membres grêles, aux jambes cagneuses. Le trésor royal est en si grande détresse, le roitelet est si pauvre que le cordonnier ne lui livre son second soulier que le premier une fois payé ! Pauvre roi qui règne sur une France divisée, dépecée, ruinée, et dont plus des trois quarts du territoire sont occupés par l'ennemi. Pauvre roi qui n'a même pas pu se faire sacrer ! Pauvre roi dont le souci majeur est de douter de sa filiation royale ! La reine Isabeau n'avait-elle pas accumulé les aventures ? Son fils était-il oui ou non le fils de Charles VI le Fol ? A Loches, un an et demi auparavant, dans la nuit du 1er novembre 1427, le roi s'était tout à coup réveillé, une telle angoisse lui serrant la gorge,

(1) L'église désaffectée depuis 1790 était alors plus importante qu'elle ne l'est aujourd'hui. En 1817, l'écroulement du clocher entraîna la destruction du transept et du chœur du XIIe siècle. Une école occupe la nef et le narthex.

(2) Une inscription placée sur la maison portant le n° 1 de la rue Voltaire indique l'emplacement de l'ancienne porte.

(3) Les corps de Henri II et de Richard Cœur de Lion furent « charroyés » jusqu'à Fontrevrault où leurs sépultures furent découvertes seulement en 1910.

un tel soupçon chevillé au cœur, qu'il s'était levé et *à nuds genoux* et *larmes aux yeux*, il avait fait à Dieu une prière *dedans son cœur, sans prononciation de paroles, requérant très dévotement Notre Seigneur que, si ainsi il estoit qu'il faut vrai hoir descendant de la noble Maison de France, qu'il lui plut le garder et le défendre.*

C'est à Chinon que réponse lui sera donnée...

Midi — c'est-à-dire l'Angélus — sonne à tous les clochers de Chinon. Jeanne, tenant son cheval par la bride, regarde les bourgeois qui, bouche bée, contemplent celle qu'ils nomment déjà l'*Envoyée de Dieu*. Tandis que l'un de ses compagnons, Jehan de Metz, monte au château, la Pucelle se retire dans une hostellerie, peut-être celle qui occupe aujourd'hui la maison portant le numéro 62 de la rue Voltaire et sur laquelle on lit cette inscription : *nulli clauditur honesto,* « ouverte à tous les honnêtes gens ». Jeanne ne reste là que quelques heures. Le roi ordonne qu'elle aille demeurer chez la dame de La Barre dans une maison située presque au *Grand Carroi* (1).

La Lorraine se met en prières et attend.

Le lendemain 7 mars, le conseil du roi se réunit. N'est-il pas ridicule de recevoir et de prendre au sérieux cette jeune fille de dix-huit ans qui prétend venir donner des leçons aux capitaines et sauver la France ? Il est bientôt décidé que la Pucelle sera interrogée par des évêques et des secrétaires d'Etat. Aussitôt, « nobles conseillers et gens du roi » se transportent à l'hôtel Reygnier de La Barre.

— Pourquoi êtes-vous venue ? demandent-ils à Jeanne.

— J'ai reçu du roi des Cieux le commandement de faire lever le siège d'Orléans et de conduire le roi à Reims pour son sacre et son couronnement.

« La vie de Jeanne d'Arc, a écrit H. Vallon, est

(1) C'est aujourd'hui l'Institution Jeanne-d'Arc.

un miracle placé au seuil des temps modernes comme un défi à ceux qui veulent nier le merveilleux. » Et, à l'époque, personne ne songe à « nier le merveilleux ». Le ciel n'était-il pas tout près de la terre ? Un vaste toit à peine un peu au-dessus des nuages ! Copernic et Galilée n'ont pas encore démontré notre petitesse ! Et Jeanne parle de saint Michel, de Madame Marguerite avec, à la fois, tant de déférence, tant d'humilité et même de familiarité que les « nobles conseillers » remontent au château parfaitement troublés.

***

Il ne reste de la salle d'audience où s'est jouée une des plus belles scènes de l'Histoire de France qu'un simple pan de mur : le pignon ouest de la pièce. Ces pierres avec leur plafond de nuages, le doux ciel de Touraine qui les coiffe, émeuvent bien davantage que si la pièce nous avait été conservée intacte, écrasée sous sa voûte « en bardeaux » et enserrée de tapisseries dont on ne voit plus, à six mètres du sol, que les crochets de fer destinés à les accrocher.

Le 8 mars *à haulte heure* — le jour déclinait — la Pucelle souriante et calme, toujours vêtue de son habit d'homme *noir et rude,* monte la rue à pente rapide — l'actuelle rue Jeanne-d'Arc.

— Va hardiment, lui ont dit ses Voix. Quand tu seras devant le roi, il te recevra et te croira !

Comme le visiteur d'aujourd'hui, Jeanne traverse le pont qui la conduit au pied du pavillon de l'Horloge, une tour carrée construite deux cents ans auparavant et qui abritait — et abrite toujours — une horloge et sa cloche, la *Marie-Javelle.*

Louis de Bourbon, comte de Vendôme et de Chartres, Grand Maître de l'hôtel du Roi, attend Jeanne.

Ayant franchi la porte à doubles vantaux bardés de fer, elle a devant elle, à moins de cent mètres, la longue façade du Grand Logis. Suivant son guide, elle monte les dix-huit degrés de pierre du perron monumental et soudain se trouve au seuil de la salle éclairée par cinquante torches, « sans compter la lumière spirituelle », dira Jeanne plus tard. Dans cet espace de quatre-vingt-dix pieds sur cinquante, trois cents gentilhommes se pressent pour la regarder. Les huissiers, selon la coutume aulique encore en vigueur, donnent des coups de verges sur les têtes et fraient un passage à la jeune fille. L'acier poli des cuirasses des guerriers, les brocarts d'or et de soie des conseillers du roi étincellent aux lumières. Entre deux fenêtres, les dames de la Cour entourent les reines : la belle-mère du roi, la reine Yolande de Sicile et la reine Marie d'Anjou, femme de Charles VII ; elles sont coiffées de hennins — ces étonnants cornets pointus dont les dames s'affublaient alors le plus naturellement du monde.

Jeanne regarde... Elle ne se dirige pas vers le comte de Clermont qui se trouve devant l'estrade royale, mais vers un gentilhomme très simplement vêtu et qui, volontairement, se dissimule dans un groupe.

« Je reconnus le roi sans l'avoir jamais vu parmi ceux qui l'environnaient, au moyen d'une vision que j'eus à ce moment accompagnée d'une clarté. »

A la distance d'une lance, elle s'agenouille :

— Dieu vous donne longue vie, gentil Dauphin !

— Ce n'est pas moi, dit le roi en montrant le comte de Clermont.

— En nom Dieu, c'est vous qui l'êtes et non un autre.

Il y a un silence.

Une extraordinaire puissance émane de cette simple fille. La voix claire et douce de Jeanne s'élève à nouveau :

— Gentil Dauphin, j'ai nom Jehanne la Pucelle et suis venue avec mission de donner secours à vous et au royaume et vous mande, le roi des Cieux par moi, que vous serez sacré et couronné à Reims et que vous serez le lieutenant du roi des Cieux qui est roi de France. Mettez-moi en besogne et le pays sera bientôt soulagé. Vous recouvrerez votre royaume avec l'aide de Dieu et par mon labeur.

Charles, déjà ému, fait un signe. On s'écarte et il entraîne Jeanne vers l'encoignure d'une fenêtre. La conversation dura une heure. Nous n'en connaissons que la dernière phrase — Jeanne la répétera plus tard à son confesseur — mais elle suffit pour nous donner le sens de l'entretien :

— De la part de Dieu, je te dis que tu es vrai héritier de France et fils du roi.

Jeanne a su apaiser le doute qui torturait le roi. Elle lui apporte la réponse qu'il avait implorée à Loches en cette nuit du 1er novembre 1427. Elle a donné au prince son *signe* et pansé la blessure secrète du fils d'Isabeau de Bavière la dévergondée.

Le roi Charles se tourne vers ses gentilshommes. Son visage est bouleversé, des larmes coulent de ses yeux. Il regarde l'assistance qui, depuis une heure, attend et sent confusément que quelque chose de grand se joue entre ce pauvre être à demi infirme et cette claire jeune fille qui ressemble à un ange... et en est un, peut-être !

Jeanne prend la main de Charles et le conduit jusqu'au milieu de la pièce. Le roi « rayonne de joie », nous dit un assistant. La voix étranglée par l'émotion, il avoue que « la Pucelle lui a confié un secret inconnu et ne pouvant être connu que de Dieu seul ».

⁂

Un jour, entre le 14 et le 28 mars — autant d'historiens, autant de dates différentes — Jeanne et le roi quittent Chinon en somptueux cortège. La foule crie :

— Orléans !

La Vienne est franchie. Les prés sont blancs et jaunes de pâquerettes et de boutons d'or. La jeune fille, tout heureuse, pense à la prochaine bataille. Elle a hâte d'aller délivrer Orléans assiégée par les Anglais. A la première halte, elle s'enquiert :

— Approche-t-on de Tours ?

On est à Richelieu ! On vient de passer le château de Champigny-sur-Veude au confluent du Mable. On tourne le dos à Orléans ! Le « Dauphin » baisse les yeux, gêné. Ses conseillers, incrédules devant tout ce merveilleux, ont décidé de faire interroger Jeanne par le Parlement et l'Université de Paris transférés à Poitiers. La Lorraine sent sa gorge se serrer. Autour d'elle, elle devine des sourires ironiques.

— Messire Dieu m'aidera !

Lorsque, trois semaines plus tard, elle remontera vers Chinon, lorsqu'elle repassera par Richelieu et Champigny-sur-Veude, Jeanne sera rayonnante : « Messire Dieu l'a aidée » ! Les conseillers du Parlement n'ont trouvé en la Pucelle qu'*humilité, virginité, dévotion honneste et simplesse.* On pourrait même ajouter : « et esprit ».

— Quelle langue parlait la Voix ? lui avait demandé le Limousin Seguin.

— Meilleure que vous !

— Et croyez-vous en Dieu ?

— Mieux que vous !

— Mais si Dieu veut délivrer la France, à quoi

bon les gens d'armes ? avait demandé le chanoine Guillaume Emery — Emery le bien-nommé !...

— Ils batailleront et Dieu donnera la victoire.

Et le 15 avril, Charles avait nommé la Lorraine chef de son armée.

Rentrée à Chinon, elle demeure encore quelques jours dans son logis du donjon du Coudray, puis, sans doute le jeudi 21, elle prend le chemin de Tours où elle doit faire la connaissance de sa « maison militaire » et se commander une armure. Au milieu de la journée, elle traverse Azay-le-Rideau appelé alors Azay-le-Brûlé, car, dix ans auparavant, le dauphin Charles, passant par là en se rendant à Chinon, avait été insulté par la garnison bourguignonne qui occupait le château. La place, après avoir été prise d'assaut, avait été incendiée et les trois cent cinquante insulteurs massacrés.

Jeanne fit tout d'abord un bref séjour à la principale hostellerie de Tours tenue par la dame Péan, puis elle s'en fut loger chez le seigneur de la Roche Saint-Quantin (1), conseiller de la reine de Sicile. Toute la ville veut contempler la Pucelle et Jeanne voit défiler devant elle ces célèbres bourgeoises tourangelles dont la *beauté est merveille* et dont *les yeux allument les passions.*

La première chose à faire est de commander une armure chez Colas de Montbazon, qui tient boutique dans la grande rue (2). Le « maître » se met au travail et livre *un harnais complet pour la Pucelle de cent livres tournois*. Colas de Montbazon demande alors s'il lui faut également fabriquer une épée. Jeanne refuse et toute souriante lui fait ordonner

(1) A l'emplacement de cet hôtel — 15, rue P.-L.-Courier — fut construit à la fin du XVe siècle l'hôtel Robin-Quantin orné de pittoresques mascarons.

(2) La maison — 39, rue Colbert — porte toujours le nom de la *Pucelle armée.*

de se rendre à Sainte-Catherine-de-Fierbois. Il trouverait là une épée enterrée dans le chœur et la lui rapporterait... Mais laissons la parole à Jeanne :

— L'épée était marquée de cinq croix, dira-t-elle plus tard à ses juges de Rouen. J'ai su qu'elle était là par mes Voix et je n'ai jamais vu l'homme qui l'alla chercher. J'ai écrit aux gens d'église de ce lieu qu'il leur plût de me la faire avoir et ils me l'ont envoyée. Elle n'était pas très profondément dans la terre derrière l'autel.

Après qu'elle eut été trouvée, les « gens d'église » la frottèrent et la rouille tomba sans difficulté.

Légende ou histoire ? Cette épée serait celle que Charles Martel aurait déposée là en *ex-voto* après sa première victoire contre les Sarrasins. Emerveillé par le prodige, le clergé de Sainte-Catherine fit confectionner un fourreau de velours blanc et les habitants de Tours une ganse de drap d'or. Jeanne préféra un plus modeste fourreau de cuir. Le même jour, elle reçut son étendard dont on a retrouvé la facture : « *A Haulves Poulvoir, peintre, demeurant à Tours, pour avoir peint et baillé étoffe pour un grand étendard et un petit pour la Pucelle : 25 livres tournois.* » Le « petit » n'était qu'un pennon figurant une Annonciation. Et Jeanne ne se lasse pas de regarder avec émotion l'étendard qu'elle aime plus que son épée, « quarante fois plus ! » précisera-t-elle.

La maison militaire réunie, Jeanne monte sur le cheval noir que lui a offert le duc d'Alençon et prend la route de Blois en suivant la rive droite du fleuve. Elle s'arrête à Veuves, à Onzain et à Chouzy.

Blois regorge de troupes venues de tous côtés pour se joindre à l'armée de Jeanne. La piétaille et même les chevaliers sont loin d'être de petits saints, mais tous, dès qu'ils ont vu la jeune Lorraine, sentent émaner d'elle une telle puissance que *blasphèmes et jurons sont oubliés.*

— Ni moi ni les autres, quand nous étions avec elle, n'eûmes jamais de mauvaises pensées : il y avait en elle quelque chose de divin, dira plus tard son compagnon Dunois, le Bâtard d'Orléans.

— Quelquefois, à la guerre, ajoutera le duc d'Alençon, j'ai couché avec elle à la *paillarde,* moi et d'autres hommes d'armes : j'ai pu la voir quand elle mettait son armure et entrevoir sa poitrine, qui était fort belle ; cependant je n'ai jamais senti pour elle de désirs mauvais.

Jeanne reste à Blois deux jours. Le premier, elle poursuit et fait chasser les « fillettes » qui encombrent le camp. Elle déteste tant les ribaudes qu'elle cassera un jour une épée sur le dos de l'une d'elles...

— Vous auriez mieux fait de prendre un bâton, lui dira le roi à qui l'épée avait coûté fort cher.

Le second jour, elle fait bénir ses étendards et oblige les hommes à se confesser.

Pour atteindre Orléans, la Pucelle veut prendre la rive droite afin de « briser par-devant la plus grande puissance des Anglais à force d'armes ». Mais les chefs, sans rien dire à Jeanne qui ne connaît pas la région, font passer à l'armée le vieux pont de Blois « chargé de tourelles et de maisons ». Les sept ou huit mille hommes s'engagent sur la rive gauche, suivent la route qui décrit un vaste arc de cercle et évitent ainsi les bastilles anglaises.

Cependant, ce chemin doit obliger l'armée, pour rentrer dans la ville assiégée, à passer la Loire en bateau, non en face de la ville, mais en amont, hors de portée des terribles arbalétriers anglais qui occupent le pont des Tourelles.

Lorsque, sous une pluie diluvienne, le matin du vendredi 19 avril, Jeanne arrive devant Orléans et qu'elle aperçoit la Loire s'étendant entre elle et la ville, elle est indignée et apostrophe sans ménagements Dunois venu à sa rencontre :

— Est-ce vous qui êtes le Bâtard d'Orléans ?

— Oui, lui répond-il, et je suis bien heureux de votre arrivée !

— Est-ce vous qui avez dit que je vienne de ce côté et que je n'aille pas directement du côté où se trouvent Talbot et les Anglais ?

— Oui, et de plus sages que moi sont du même avis.

— En nom Dieu, dit-elle alors, le conseil de mon Seigneur est plus sage et plus sûr que le vôtre !

Aussitôt, raconte Dunois, « le vent qui était contraire et présentait un grand obstacle à la montée des bateaux devint favorable ».

Le convoi de vivres et d'armes peut entrer dans la ville, mais les bateaux ne reviennent pas et l'armée n'a plus qu'une ressource : suivre le plan de la Pucelle, c'est-à-dire rebrousser chemin, revenir à Blois et rejoindre Orléans par la rive droite. Sur les instances de Dunois, Jeanne consent à passer seule la Loire et à entrer dans la ville où elle est impatiemment attendue. A contrecœur, la Pucelle suivie seulement de deux cents lances s'embarque à trois lieues en amont, remonte la Loire jusqu'à Reuilly où elle touche terre. A huit heures, le vendredi 29, entre une double haie de torches, elle franchit la porte de Bourgogne d'Orléans (1).

Après avoir traversé la moitié de la ville, elle s'arrête rue du Tabour à l'hôtel de Jacques Boucher, trésorier du duc d'Orléans (2).

En attendant l'arrivée de l'armée, Jeanne étudie la situation. Le comte de Salisbury était venu mettre

(1) Le n° 127 de l'actuelle rue de Bourgogne marque l'emplacement de cette porte.

(2) La maison, située au 54, rue du Tabour, a été gravement endommagée en juin 1940.

le siège devant Orléans le 12 octobre 1428. Il avait fait construire une série de bastilles faites de terre et de bois qui commandaient le nord et l'ouest de la ville. A l'est, sur la rive droite, se trouvait la bastille Saint-Loup et, sur la rive gauche, celle de Saint-Jean-le-Blanc. Les assaillants étaient parvenus à se rendre maîtres de l'important fort des Tourelles qui, sur la rive gauche, commandait le pont de la Loire (1).

Afin d'empêcher les Anglais d'entrer dans la ville, les défenseurs s'étaient hâtés de faire sauter une arche et de construire, sur le pont même, un ouvrage en bois situé à quelques dizaines de mètres des Tourelles. De là, assiégés et assiégeants, chacun sur ses positions, s'interpellaient grossièrement ou plaisantaient suivant leur humeur.

Le mardi 4 mai, l'armée venant de Blois et conduite par Dunois parvenait sans dommage à passer à travers les bastilles ennemies et à pénétrer dans la ville.

L'après-midi de ce même jour, Jeanne connaît son premier combat. Les Anglais occupant la bastille Saint-Loup, non loin de la porte de Bourgogne, tentent une sortie et bientôt les blessés affluent au poste de commandement de la Pucelle. Jeanne blêmit :

— Jamais je n'ai vu sang de Français que mes cheveux ne se levassent droits !

La jeune fille, son étendard à la main, décide la contre-attaque et entraîne les hommes vers la bastille. Les Orléanais franchissent les palissades et, au soir, Saint-Loup est aux mains des Français.

Le lendemain, c'est l'Ascension, fête chômée, et l'on ne se bat point. Jeanne se contente de dicter une lettre aux Anglais leur ordonnant d'avoir à déguerpir :

(1) L'ancien pont se trouvait à cent mètres en amont de l'actuel pont George-V, quai des Augustins ; l'emplacement du fort des Tourelles est indiqué par une plaque.

« Vous, hommes d'Angleterre, qui n'avez aucun droit en ce royaume, le roi des Cieux vous mande et ordonne, par moi, Jeanne la Pucelle, que vous quittiez vos bastilles et retourniez en votre pays, ou sinon je ferai de vous un tel hahu qu'il y en aura éternelle mémoire... »

— Lisez, leur crie-t-elle du haut des remparts en accrochant la lettre à une flèche, ce sont des nouvelles.

— Des nouvelles de la p... des Armagnacs ! s'exclament les Anglais.

Jeanne, les larmes aux yeux, riposte :

— Jirai demain vous visiter.

Le lendemain 6 mai, Jeanne tint parole et réussit à faire franchir la Loire à ses quatre mille hommes. Les Anglais en fuite, *laids et honteux*, ont évacué la bastille Saint-Jean, mais se sont solidement retranchés dans le couvent des Augustins et aux Tourelles qui — rappelons-le — commandaient l'unique pont franchissant la Loire.

Entraînant ses hommes, la Pucelle plante son étendard sur le rempart des Augustins, couvent en ruine transformé en forteresse. Les Français escaladent les murs et la garnison, stupéfaite par cette furie, se laisse massacrer... C'est à peine si quelques survivants parviennent à se replier sur les Tourelles.

— J'aurai demain les tours de la bastille, s'exclame Jeanne, et je rentrerai à Orléans par le pont...

Mais six cents hommes bien armés occupent les Tourelles et, le soir venu, devant Jeanne qui a regagné Orléans par bateau, les capitaines sourient ironiquement. La Pucelle n'en donne pas moins ses ordres tout en ne mésestimant pas les difficultés qui l'attendent le lendemain.

— J'aurai beaucoup de besogne et, prédit-elle, le sang me sortira au-dessus du sein.

En fait, le lendemain, presque au début de l'attaque, un *trait de gros garriau* lui traverse l'épaule alors qu'elle dressait elle-même une échelle contre les remparts des Tourelles. Jeanne d'Arc a été transportée à quelque distance du combat. Avec courage, elle arrache la lourde flèche et applique sur la plaie de l'huile d'olive et du lard. Mais soudain elle bondit... Que se passe-t-il ? Pourquoi Dunois fait-il sonner la retraite ?

— En nom Dieu ! Vous entrerez aux Tourelles !

Et elle ordonne :

— Faites manger vos hommes et boire !

Le repas est vite expédié.

— Dedans, mes enfants ! crie la Pucelle. Ils sont vôtres ! J'en suis sûre. Quand vous verrez flotter mon étendard vers la bastille, ruez-vous. Elle est à vous !

Un page a réussi à approcher l'oriflamme de la muraille.

— A mon étendard ! crie Jeanne. Tout est vôtre.

Les Français se précipitent sur les Tourelles *comme jamais nuée d'oiseaux sur un buisson.*

Un quart d'heure après, tous les Anglais sont pris ou noyés. La puissante bastille est aux mains des Français.

Le lendemain, les Anglais lèvent le siège tandis que, dans la plaine, à une portée d'arbalète, toute l'armée de Jeanne, à genoux, assiste à une messe d'action de grâces.

⁂

Le vendredi 13, à la porte de Loches, la Pucelle descend de cheval et s'incline profondément devant le « gentil Dauphin » venu de Chinon à sa rencontre.

Charles VII ôte son chapeau. Il est si ému *qu'on crut qu'il allait donner un baiser* à Jeanne.

Puis le roi et la *bonne Lorraine* prenant la tête du cortège se dirigent vers le château...

Là, dans la grande salle des Gardes qui existe toujours, Jeanne eut une discussion avec les conseillers du Roi. Ceux-ci, parmi lesquels se trouvaient le comte d'Harcourt, l'évêque de Castres, le seigneur de Trêves et même, dit-on, Gille de Rais, préconisaient la délivrance de la Normandie, afin de couper la retraite aux Anglais et de pouvoir marcher ensuite sur Paris. Jeanne voulait que « son » dauphin devienne roi — le lieutenant de Dieu — le plus vite possible. Pour elle, il fallait foncer vers Reims et, pour cela, libérer le val de Loire... N'était-ce pas là la route du Sacre ?

Charles écouta la Pucelle, et ce fut la campagne de la Loire. Beaugency, Jargeau et Meung furent délivrés, la route de Reims rendue libre et deux mois plus tard, Jeanne eut la joie de se tenir à Reims auprès du roi Charles tandis qu'il recevait l'huile sainte. Elle avait gardé à la main son étendard.

— Il est juste qu'il soit à l'honneur, puisqu'il a été à la peine !

***

Un an a passé.

Pour Jeanne, les heures claires sont mortes.

Le mauvais conseiller du roi, La Trémoille, de triste mémoire, va pouvoir donner libre cours à sa jalousie et à sa crainte de perdre le pouvoir. Devant cette pure jeune fille, le rude homme de guerre tremble. Charles VII poussé par son favori va pactiser secrètement avec les Bourguignons. « Le lieutenant de Dieu », étonné par sa gloire, écoute La Trémoille *au contraire du vouloir de Jeanne.* Le malheureux roi ira jusqu'à faire démolir un pont afin d'empêcher l'héroïne de prendre Paris... Tours, Chinon, Amboise, Beaugency, Meung, Orléans reverront la Lorraine, entourée d'égards peut-être, mais en demi-disgrâce.

C'est à Sully-sur-Loire qu'elle prend la décision de « bouter les Anglais hors de France ». Elle vient de passer près de deux mois avec le roi dans l'imposant château de Georges de La Trémoille, mais elle ne veut y rester davantage, car elle sait « qu'elle durera un an, guère plus ». Par une pluvieuse journée de mars en compagnie du duc d'Alençon, la Pucelle, *fort mal contente de la manière que le roi et son conseil tenaient pour le recouvrement du royaume,* quitte brusquement Sully-sur-Loire sans même vouloir prendre congé du roi.

Elle ne se retourne pas vers la haute masse du château féodal où le roi Charles, écœuré de gloire, doit pousser un soupir de soulagement. Jeanne marche vers Compiègne... vers le bûcher.

Agnès de « Belle Agnès » retiendra le nom
Tant que la beaulté, Beaulté sera le nom.

II

L'HEURE D'AGNÈS

La Pucelle exécutée, Charles VII était retombé dans son apathie et les Anglais menaçaient à nouveau les terres du triste roitelet.

C'est alors qu'à Chinon, le roi Charles fit la connaissance d'Agnès Sorel, fille d'honneur de la reine de Sicile, duchesse de Lorraine, belle-sœur du roi. La voyant pour la première fois, tant elle était belle, le roi *rêvait tout éveillé et ne croyait pas que le sommeil lui pût apporter plus doulx songes...*

La célèbre idylle commençait.

Brantôme nous raconte que la jolie fille, « voyant le roy enamouraché d'elle et ne se soucier que de luy faire l'amour, et, mol et lasche, ne tenir compte de son royaume, lui dit :

« — Lorsque j'étais encore jeune fille, un astrologue m'a promis que je serais aimée et servie par l'un des plus vaillants et courageux rois de la Chrétienté. Quand vous m'avez fait l'honneur de m'aimer, je pensais que ce fût ce roi valeureux qui m'avait été prédit... Mais je vous vois si mol avec si peu de soins de vos affaires que je vois bien que je me suis trompée. Ce roi courageux n'est pas vous, mais le roi d'Angleterre qui fait de si belles armes et vous prend tant de belles villes à votre barbe. Adieu ! je m'en vais le trouver, car c'est celui-ci dont parlait l'astrologue.

« Ces paroles piquèrent si fort le cœur du roi qu'il se mit à plorer. Prenant courage et quittant sa chasse et ses jardins, prit le frein aux dents, si bien que avec bonheur et vaillance chassa les Anglais de son royaume. »

Agnès Sorel continuatrice de Jeanne d'Arc !...

L'histoire est belle et fut répétée par bien des historiens ; malheureusement, elle est sans doute fausse. La trêve avec l'Angleterre était signée depuis le 28 mai 1444 et le livre de dépenses de la reine de Sicile nous prouve qu'à cette époque « Agnès Sorelle » ne connaissait pas le roi et était encore la plus humble des filles d'honneur d'Isabelle de Lorraine. Elle n'émargeait, sur le budget de janvier à juillet, que pour une somme de dix livres, alors que les autres dames en touchaient entre cinquante et soixante ! Ce n'est qu'à la fin de cette même année 1444 qu'Agnès Sorel deviendra la maîtresse du roi. Elle ne put donc comparer la mollesse de Charles VII aux « belles armes » du roi d'Angleterre, afin de donner du courage au roitelet et libérer la France...

Le roi lui donna la terre de Beaulté, « afin qu'elle fut dame de Beaulté de nom comme de fait », un nom qu'elle portait admirablement *entre les belles* car *c'était la plus belle femme que je vis oncques,* soupirait un jeune écuyer bourguignon.

— Une assez jolie garce, disait plus crûment l'évêque Thomas Basin.

Que sait l'histoire à son sujet ?

Elle donna quatre filles au roi, porta des robes

décolletées au-delà du possible, servit, nous dit-on, de modèle pour la fameuse Vierge au sein nu de Fouquet, fut détestée ou trop aimée — ceci expliquerait cela — par le Dauphin, futur roi Louis XI, qui, un jour, lui donna une paire de gifles. Enfin, elle mourut d'un « flux au ventre » au manoir du Mesnil près de Rouen, le 11 février 1450.

C'est tout !... et ce n'est guère ! Mais que de faux documents, de faux mémoires ont embroussaillé la question ! Tels ces « *Faicts et moult mémorables et grandes choses advenues en le royal chasteau de Chinon où se voient les gestes de ma dame Agnès Soreau, dame de Beaulté-sur-Marne* », texte soi-disant écrit « *par Elie Chevalier, secrétaire du redoubté roi de France* », amusant « *à la manière de* » fabriqué en réalité par M. Cohen, conservateur de la Bibliothèque Sainte-Geneviève. Certains historiens ont pris ces *Faicts mémorables* pour authentiques et s'en sont servis le plus sérieusement du monde !

Lorsqu'on visite les châteaux de Chinon à Loches, que de tours, que de logis, que de petits villages, que de chênes — tel celui de Bonaventure — que de caves — telle celle de la forêt de Loches — ne nous montre-t-on pas qui auraient abrité les amours de Charles et d'Agnès ! Que de donjons au sommet desquels la dame de Beaulté allumait un fanal afin de faire savoir à son royal amant résidant dans la région qu'elle l'attendait.

Demeura-t-elle seulement à Loches dans la tour qui porte aujourd'hui son nom ? On ne sait !

Un seul fait est bien certain : le corps d'Agnès fut tout d'abord inhumé au milieu du chœur de l'église collégiale de Loches. Il faut croire que d'avoir sous les yeux pendant les offices la tombe de celle qui avait osé dénuder *tétins et seings* donnait des distractions aux vénérables chanoines, car ils demandèrent à Louis XI l'autorisation de déplacer le mausolée.

— Oui, répondit le roi qui se souvenait du legs laissé par la défunte pour l'entretien de la tombe, soit ! mais rendez la dot !

Les chanoines se turent... Ils gardèrent ainsi le silence pendant plus de trois siècles. Sous Louis XV ils récidivèrent sous le prétexte que la tombe placée dans le chœur « empêchait, comme il est nécessaire dans bien des cérémonies, trois ecclésiastiques de se placer de front ». Louis XV, qui respectait les maîtresses des rois, écrivit ces sept mots en marge du rapport : *Néant. Laissez ce tombeau où il est.*

Louis XVI avait des sentiments bien différents à l'endroit des favorites royales, aussi donna-t-il l'autorisation demandée. En 1777, les chanoines purent donc, enfin, faire déplacer le tombeau. On commença par ouvrir le cercueil. On y trouva « une mâchoire inférieure, des dents bien conservées et des cheveux absoluments sains comme ceux d'un cadavre récent ». Quant au squelette il n'était plus que cendres. On plaça ces restes dans *un pot de grès,* puis cette urne et le tombeau furent transférés à l'abri des regards des chanoines, c'est-à-dire « à main droite en entrant dans ladite nef ». Enfin, nous dit le procès-verbal de l'opération, « lesdits sieurs du chapitre ont chanté l'office des morts pour le repos de l'âme d'*Agnès Seurelle* ».

Le repos fut bref... En 1793, les soldats du bataillon de l'Indre, de passage à Loches, qui n'étaient pas très ferrés en histoire, prirent la maîtresse de Charles VII pour une sainte... Ils s'empressèrent de saccager le tombeau et firent enterrer l'urne dans le cimetière. Quelque temps plus tard, le conventionnel Pochelle — un collectionneur — ouvrit l'urne, s'empara des cheveux et « rompit la mâchoire pour en extraire les dents ». Du moins, on l'affirme...

En 1809, on replaça le pot de grès sous le mausolée qui, réédifié tant bien que mal — plutôt mal que bien — quitta définitivement l'église et fut transporté au rez-de-chaussée de la tour dite d'Agnès.

Aujourd'hui, les visiteurs parlent bas devant le tombeau. Certains se découvrent... Il ne s'y trouve pourtant qu'une mâchoire sans dents ! C'est tout ce qui reste de *la plus belle femme qui feust en icelluy temps possible de veoir...*

***

Ne quittons pas Agnès sans rappeler que Jacques Cœur fut accusé d'avoir empoisonné la dame de Beaulté à la demande du futur Louis XI. Arrêté, le célèbre Grand Argentier put prouver son innocence, mais Charles VII qui en voulait à son immense fortune le fit juger, et, sous prétexte de pots de vin reçus et d'armes livrées aux Infidèles, fit condamner son serviteur à la prison perpétuelle. Fort heureusement, Jacques Cœur réussira à s'enfuir et se réfugiera près du Pape...

ANDRÉ CASTELOT

III

DE QUELQUES MAUVAIS QUARTS D'HEURE

DEUX souvenirs restent gravés dans la mémoire de ceux qui ont visité un peu hâtivement les châteaux de la Loire. Le premier est assurément le fameux distique gravé à Chambord par François Ier avec le diamant de sa bague sur une vitre de son cabinet de travail.

Souvent femme varie,
Bien fol est qui s'y fie !

Louis XIV aurait d'ailleurs brisé la vitre, et celle devant laquelle les touristes masculins arborent aujourd'hui un petit sourire entendu ne serait qu'un fac-similé...

La seconde image qui frappe le plus les visiteurs se trouve être la prison dans laquelle fut enfermé durant onze années le cardinal de La Balue à Loches. Il s'agit d'un cachot où était placée la fameuse « cage ». Lorsque le gardien prononce ce mot magique, les fatigues dues aux visites d'Amboise et de

Chenonceaux — c'est le même circuit — sont oubliées. Cette « cage » de la *salle de la question* du donjon de Loches fait plus frémir que le balcon sur lequel pourrissaient les corps des conjurés d'Amboise et excite bien davantage l'imagination que l'admirable plafond en chêne sculpté du *Cabinet vert* de Chenonceaux !

Un cardinal dans une cage ! Quoi de plus spectaculaire ?

Malheureusement, le cachot de Loches ne fut peut-être jamais « habité » par le fameux cardinal, par cet archevêque d'Angers qui fit bien des choses dans sa vie, mais n'est connu que par sa captivité.

Quel fut donc le crime de Jean Balue ?

Le 22 avril 1469, à Cloyes-sur-le-Loir, non loin de Châteaudun, le cheval d'un cavalier s'arrête, refusant de faire un pas de plus. L'homme descend, prend la bête par la bride, tire, crie, se fâche, mais en vain. Les villageois s'assemblent et commencent à rire ! Deux soldats du roi attirés par le bruit s'approchent... A leur vue, l'homme se trouble et veut fuir. Il est aussitôt appréhendé et interrogé :

— Je suis un domestique du cardinal d'Angers, répond le malheureux en tremblant. Je suis parti de Tours et vais à Fécamp où mon maître le cardinal Balue m'envoie.

L'attitude du personnage semble si peu franche que les soldats le fouillent et trouvent cousue dans la doublure de son pourpoint une pièce signée par le cardinal accréditant le porteur auprès du duc de Bourgogne ainsi qu'un mémoire adressé au Téméraire. (Précisons que ce dernier était alors le pire ennemi du roi Louis XI.)

Dans cette pièce, le prélat, archevêque d'Angers, « premier du Grand Conseil du Roy », se révélait comme le dernier des traîtres. Il promettait d'avertir tout bonnement le duc de tout ce qui se passerait au

Conseil. Il l'engageait en outre à fortifier les villes de la Somme que le roi avait l'intention de conquérir et, pour parachever son œuvre, Balue avertissait le Téméraire que Louis XI traitait avec l'Angleterre.

Quel mobile poussait le prélat ?

Le roi paraissant désireux de lui enlever ses charges, le cardinal s'était décidé — avec son complice Guillaume de Haraucourt, évêque de Verdun — à s'acoquiner avec Charles le Téméraire afin de créer au roi des « difficultés ». *In extremis,* lorsque la situation paraîtrait suffisamment désespérée, Balue avait l'intention de sauver le roi et de rétablir ainsi son ancien crédit...

Mais le cheval cabochard du domestique du cardinal avait troublé tous ces beaux projets.

Le jour même, le roi, qui se trouvait alors à Amboise, est prévenu et fait aussitôt quérir le cardinal et l'évêque. Le lendemain — 23 avril — les deux prélats arrivent sans défiance et sont immédiatement arrêtés. Haraucourt est expédié à la Bastille et La Balue transféré à Montbazon, puis, de là, conduit à Onzain, non loin de Blois.

C'est ici qu'apparaît la cage.

Au mois de février 1470, Louis XI faisait remettre soixante-dix livres tournois à Guyon de Broc, son maître d'hôtel, à charge par lui de faire fabriquer une *caige de fer au chasteau d'Onzain pour la seurté et garde du cardinal d'Angiers* (1).

Quelle taille avait la *caige ?* La chronique de Jacques de Pavie en nous prlant de la détention de La Balue la compare à celle d'Haraucourt et nous affirme *qu'une prison plus douce et plus grande fut donnée au cardinal à cause de sa dignité* (2). Nous savons que la cage dévolue à l'évêque de Verdun mesurait neuf pieds de long sur huit de large et sept

(1) B. N. Mss Fr. 6758.
(2) *Cardinali propter dignitatem carcer liberior datus.*

de haut — soit : 2 m. 97 de long sur 2 m. 64 de large et 2 m. 31 de haut.

Haraucourt resta onze ans dans ce réduit !

A quelle époque La Balue et sa cage furent-ils transférés à Loches ?

Peut-être jamais !

Les chroniqueurs nous parlent d'abord de Montbazon et d'Onzain, puis des châteaux de Turenne, de Plessis-lez-Tours, d'Amboise, de la Porte de Moret, du Mont-Saint-Michel et même de la Bastille... à croire que tous les six mois on changeait le malheureux de résidence. Mais on ne trouve pas dans cette nomenclature le nom de Loches. Sans doute au XVIIe siècle existait-il à Loches une cage dite de *La Balue*. Elle avait *six pieds et demi des quatre costez* et était *couverte de pattes de fer par le dehors et le dedans avec de terribles ferrures*. En 1790, un certain Jacob-Louis Dupont, de la *Société Patriotique*, proposa à ses collègues de mettre en pièces la cage *pour en vendre le fer au profit des veuves et des orphelins des vainqueurs de la Bastille*. Le bois fut distribué aux indigents à l'exception de quatre morceaux qui furent symboliquement consumés dans le feu de joie du 14 juillet 1791.

Cependant, l'imagination fut comme toujours plus forte que la vérité. Que serait pour le touriste la visite du donjon, sans une allusion à la cage du cardinal de La Balue (1) ?...

(1) Il y a encore une autre légende à détruire. Ce n'est pas La Balue qui « inventa les cages ». Elles existaient en Italie dès l'année 1280. Le cardinal n'en fut pas non plus « l'importateur ». Quarante ans auparavant les Anglais, au Château-Gaillard, enfermaient déjà leurs prisonniers dans ces peu réjouissants lieux de réclusion.

***

Les auteurs romantiques se livrèrent à de terribles descriptions des sinistres cages et de la vie atroce que l'on pouvait y mener... Par réaction, certains écrivains de notre temps, pris d'une juste admiration pour l'œuvre de Louis XI, voulurent innocenter et excuser leur héros. Pour Pierre Champion, les cages ne sont que de *petites chambres lourdes et sûres.* Auguste Bailly reconnaît sans doute qu'il n'y avait là « ni luxe ni confort », mais ajoute : « Il suffit d'un peu de bon sens pour se dire que si un prisonnier pouvait pendant quinze ans supporter sans mourir cette sorte d'incarcération, c'est que les terribles cages étaient du moins assez vastes pour qu'on pût s'y mouvoir et y vivre. »

Bien plus, à lire certains historiens, les cages ne sont qu'une légende.

Où se trouve la vérité ?

Des documents d'archives nous prouvent que Louis XI fit établir une forge dans son château de Plessis-lez-Tours afin d'y faire construire, sous ses propres yeux, des cages destinées aux châteaux d'Angers, de Loches, du Mont-Saint-Michel, et de Chinon ; cette dernière fut même montée sur pivot afin de faire tourner le prisonnier et de pouvoir le contempler sous toutes ses formes sans avoir à tournailler autour de lui. Celle de Loches fut accrochée à cinq pieds du sol et l'on peut encore voir les arrachements des attaches de fer qui soutenaient cette lourde étagère.

Certains historiens ont nié ces faits... en dépit du témoignage de Commynes qui nous raconte en avoir *tasté* huit mois. Aussi, pour se faire une juste opinion sur la question, le mieux est de se pencher sur les « comptes de Louis XI » (B. N. Mss Gaignère) et sur le *Registre des comptes* de l'hôtel de ville de Tours, manuscrit conservé aux Archives municipales de la ville. Laissons parler ces documents. On va voir, l'histoire est assez plaisante, sauf bien entendu pour le principal intéressé, autrement dit pour le seigneur Simon de Quingey, habitant de la cage, dont nous allons conter la mésaventure !

Fidèle de Charles le Téméraire, Simon à la mort de son maître défendit avec ardeur Marie de Bourgogne contre les armées du roi de France. Il fut pris à Verdun-sur-Seurre, petite place qu'il avait héroïquement défendue avec six cents mercenaires allemands. Ayant tenté de s'évader de la prison où il avait été placé, le roi, le 11 mars 1480, décida de mettre le seigneur de Quingey dans une cage de fer et — faveur insigne — de confier ladite cage et son contenu à la garde du maire de Tours, le sieur de Coutances.

A l'aide de trois cent cinquante-sept livres de fer, la prison fut aussitôt confectionnée par le maréchal-ferrant nommé Hans Ferdargent. Un pseudonyme sans doute. La lourde cellule devait prendre place dans une tour flanquant le logis du maire, mais, au lieu de construire la machine dans la maison même, Hans Ferdargent, qui tenait à avoir ses aises, préféra assembler lattes et barreaux à l'extérieur. Malheureusement, le travail terminé, le prisonnier placé dans sa « chambre », on ne parvint pas à faire entrer la cage par la porte de la maison. Les maçons durent abattre deux pans de mur et ménager une ouverture de six à sept pieds dans *l'espesseur* de la muraille. Ce détail nous prouve que la cage n'avait pas plus de deux mètres vingt de large. Trois jours plus tard, les officiers du roi, venus inspecter la nouvelle prison, estimèrent que la tour se prêtait mal à la surveillance. Par contre, ils trouvèrent qu'une *petite salle basse voisine de la chambre du maire* conviendrait infiniment mieux ! Impossible de faire voyager la cage à l'intérieur de la maison, même en démolissant des cloisons : les planchers se seraient écroulés ! Il fallut donc faire passer la machine par la rue.

On imagine la joie du sieur de Coutances et de son épouse en voyant apparaître un matin les *maççons* qui, *rechief*, se mirent à rompre la muraille de la tour qui venait à peine d'être murée ! Ensuite, pour faire *ouvertures et roulures,* les ouvriers — leurs factures le prouvent — commencèrent à rompre le pan de mur de la maison afin de *mectre* ladite cage dans la petite salle basse. Lorsque, placée sur des rouleaux, la cage fut sortie de la tour, passée par la rue et rentrée dans la maison, les *maççons* à l'aide d'*une centaine de pierres de veretz* et *d'ung seuillet de pierre dure* colmatèrent les deux brèches. Le *menuizier* leur succéda afin de refaire les huisseries ; enfin six manœuvres *besognèrent* durant cinquante-trois journées pour retirer les *immondicitez* provenant des murailles défoncées et qui se montèrent à huit *tombelleries.*

A l'époque, être maire de Tours n'était pas une sinécure !

Pendant ce temps, le sieur Debures, serrurier, mettait des *paumelles* et des *crampons de fer* dans la chambre basse. Il posait une dizaine de *serrures truffières bonnes et fortes* à toutes les portes, puis ferrait le prisonnier à l'aide d'une *fillette,* engin qui semble bien avoir été inventé par le roi Louis le onzième. Il s'agissait de *quatre chaines faiz en forme d'anneaux* et complétées par un lourd boulet et une sonnette puissante, appareil qui coûta à la ville la somme de huit deniers tournois.

On appelait ce « bijou » des *fillettes* — les filles de joie de l'époque — car le prisonnier demeurait couché avec elles de jour et de nuit !

Le malheureux Simon de Quingey fut vite blessé par sa *fillette* et le maître d'hôtel du roi vint le visiter. Le procès-verbal nous apprend qu'il fallut pour l'opération réunir un certain nombre de personnes : l'une avait la garde de la clef de la chambre basse, l'autre celle de la cage, une troisième celle de la *fillette*. Le document ne nous dit pas si le prisonnier fut déferré ; on sait seulement que la *vefve Andrée Petitpas* acheta à l'apothicairerie *soixante dix-neuf sols, deux deniers tournois de pommade* pour soigner les membres écorchés du malheureux Simon. L'ouverture de la « prison » fut un événement exceptionnel. La cage demeurait, en effet, toujours close. La nourriture était passée par une espèce de guichet... Quant au reste, un texte du temps — que mes lectrices me pardonnent ce détail — nous apprend qu'au bas de la porte *bossée et arrondie* avait été aménagé un trou. Sous cette ouverture on plaçait un bassin... et c'est par là que *le prisonnier se mettait pour décharger son ventre.*

Cependant, d'autres comptes nous prouvent que l'on essaya d'atténuer les rigueurs de la détention. Un petit *chaslit* sur lequel on plaça une *couette de plumes* fut, non sans difficultés, introduit dans la cage. On entoura ensuite la prison de *onze aulnes deux tiers* de tissu afin de la protéger des courants d'air. Enfin, Jehan Charrueau reçut *trois sols huit deniers tournois* pour avoir *eshaussé le plafond de la machine* qui était si basse que le malheureux *ne povait se dresser en ladite caige.*

L'aventure de Simon de Quingey va maintenant devenir burlesque.

Huit mois plus tard, le 23 septembre, le roi qui se trouvait au château du Plessis, aux portes de la ville, *manda que lui fust menés ladite caige et le prisonnier*. Les archives ne nous disent pas quelles furent les réactions du maire et de son épouse lorsque réapparurent *maççons, serruriez, menuiziers et manœuvres,* qui éventrèrent à nouveau leurs murailles ! Ensuite Marquet Pageau et ses *six compaignons ahannèrent*, non sans peine, la cage dans la rue et *sitôt après le mur fut incontinent refait.*

Le sieur et la dame de Coutances, qui voyaient la fin de leurs peines, durent certainement pousser un soupir de soulagement lorsqu'ils virent s'arrêter devant leur maison quinze chevaux et un chariot suivis de *charretiers en grand nombre.* On venait enfin les débarrasser de leur encombrant locataire ! Mais dès que la cage, dans laquelle se trouvait toujours Simon, eut été placée sur le chariot, celui-ci s'effondra avec fracas. On se hâta d'aller « *quérir des rouleaux au Plessis pour charroyer ladite caige, sans lesquels rouleaux, elle ne povait remuer* ».

Et c'est ainsi, en cet équipage, *ahanné* sur les gros pavés, que le pauvre Simon fut traîné jusqu'au château du Plessis où l'attendait Louis XI. Les pièces sont muettes sur les souffrances endurées par le prisonnier durant son voyage. On ne sait pas non plus quel fut au juste l'objet de l'entretien entre le roi et Quingey. Un seul fait est certain et les comptes de la ville de Tours nous le prouvent : trois jours plus tard, le 25 septembre, le sieur de Coutances et son épouse virent revenir la cage chez eux.

Le roi Louis leur confiait à nouveau le prisonnier !

Il fallut pour la troisième fois abattre le mur de la maison !

Les incrédules estimeront peut-être que nous plaisantons ! Il n'en est rien ! A leur intention, recopions la note que l'on peut toujours lire dans les archives municipales de Tours ; au chapitre « *Achapt de chaux et cyment* » (année 1481, mois de septembre) : « *Le roy renvoya ladite caige en la maison dudit maire et fut remis ledit prisonnier dedans par quoy convint rompre derechief ledit mur déjà refait.* »

Le 16 janvier 1481 — trois cent trente-neuf jours après son entrée chez le maire — Simon de Quingey et sa cage furent transférés à l'hôtel de ville par ordre du roi... et pour la quatrième fois le maire et sa femme virent revenir les *maççons* qui avec rapidité — ils commençaient à en avoir l'habitude ! — démolirent le mur. Puis les *archiers* mirent la machine et son habitant hors de la maison. Enfin, la cage *ahannée* vers l'hôtel de ville, les ouvriers purent, définitivement cette fois, colmater la brèche, refaire les huisseries et enlever les *tombelleries d'immondicitez*...

On ignore à quelle date Simon fut libéré. Nous savons simplement qu'en 1487 il fut reçu chevalier de l'ordre de Saint-Georges de Bourgogne en récompense de ses longs services et de sa pénible captivité. Mais l'histoire ne nous dit pas quelle indemnité reçut le maire de Tours. Nous ne savons pas non plus si, un beau matin, la maison, à force d'avoir été éventrée, ne s'effondra pas sur la tête du sieur de Coutances et sur celle de son épouse !...

IV

HEURES DE NOCES... ET HEURES DE DEUIL

Le 22 juin 1483, le Dauphin habillé de satin cramoisi et monté sur sa haquenée partit du château d'Amboise pour aller se placer sur la route au lieudit la *Métairie de la Reine.*

Le Dauphin — c'était le fils de Louis XI — était venu là attendre sa fiancée, Marguerite d'Autriche.

Agé de treize ans, le futur Charles VIII était de *complexion fort délicate,* et c'est pourquoi il demeurait à Amboise, où il était né, *en ce chastel,* disait Louis XI, *auquel nous avons été nourriez dès notre jeunesse.* Régulièrement, Jean Bourré, seigneur du Plessis, envoyait au roi des nouvelles de son fils : « Il dort bien, fait-il savoir au souverain, il mange bien, il repose sous ses couvertures de gris, il s'occupe de ses oiseaux sans s'échauffer. » Cependant, en dépit de ce bulletin de santé rassurant, en dépit des fréquentes visites de maître Adam Fumée, médecin de Louis XI, Charles reste « de corps malsain et de petite stature », nous raconte Guichardin. L'ambassadeur vénitien renchérit en ces termes : « Il est laid de visage, avec de gros yeux blancs, le nez aquilin grand et gros plus qu'il ne convient, les lèvres sont aussi grosses et il les tient constamment ouvertes. » Un portrait conservé à la Bibliothèque Nationale nous prouve que ces témoins n'exagéraient nullement. Le nez du futur Charles VIII occupe la moitié de son visage, ses yeux blancs sont à fleur de tête et ses lèvres sont ourlées en bord de baignoire.

Mais que les âmes sensibles se rassurent ! La fiancée attendue à la *Métairie de la Reine* ne sera pas trop effrayée en voyant l'aspect peu appétissant de son futur époux... Et pour cause ! Marguerite est âgée de trois ans et se trouve encore tenue serrée contre « le giron de sa nourrice » !... Elle est née de Maximilien d'Autriche, roi des Romains, et de Marie de Bourgogne ; elle se trouve être par conséquent la petite-fille du Téméraire.

Dès que l'enfant est annoncée, le futur Charles VIII « se rend en un logis proche du pont d'Amboise » et revêt une longue robe de drap d'or. La cérémonie des fiançailles se déroule en plein air, au bord même du fleuve. Le protonotaire touche les mains des promis et *Monsieur le Dauphin baise par deux fois Madame la Dauphine.*

Amboise est en fête ! Les vins blancs de Montlouis et de Vouvray coulent aux fontaines et des *hommes sauvages,* tout de vert habillés, participent à l'histoire du berger Pâris et des trois déesses vêtues — bien entendu avant le fameux jugement — l'une de bleu, la deuxième de rouge et la troisième de vert.

Deux mois plus tard Louis XI mourait au château du Plessis-lez-Tours. Le Dauphin devenait roi sous le nom de Charles VIII et la petite Marguerite sera désormais traitée en reine. Mais, lorsqu'elle eut l'âge de comprendre, la régente Anne de Beaujeu, sœur aînée de Charles, lui recommanda néanmoins d'avoir toujours *port humble, humble regard, basse parole.*

Au mois de septembre 1488, Charles VIII quitta Amboise pour Nantes et alla prendre congé de la reine « laquelle — alors âgée de neuf ans — après avoir honorablement embrassé et salué le roi lui dit en pleurant qu'elle savait bien qu'il s'en allait en Bretagne pour épouser une autre femme ».

— Je n'abandonnerai jamais celle que mon père m'a donnée pour épouse, répondit le roi, et il ajouta que tant que la petite princesse vivrait *il n'en aurait point d'autre.*

Le bruit courait cependant que le jeune souverain avait formé le projet d'épouser Anne de Bretagne. Mais Anne, duchesse souveraine par la mort du dernier duc de Bretagne, n'était-elle point promise à l'archiduc Maximilien, père de la fiancée du roi Charles ? Le mariage avait même déjà été célébré par procuration, cérémonie pour laquelle « le roi des Romains » n'avait rien trouvé de mieux que d'envoyer son mignon Wolfgang de Polhain, inconsciemment qualifié d' « *homme de vertu* » par un chroniqueur à l'âme candide. Polhain le soir du « mariage » avait dénudé sa jambe droite, s'était approché du lit où se trouvait couchée la jeune Anne âgée de quatorze ans et avait placé la jambe sous les draps cramoisis tout en serrant dans sa main gauche la procuration de son maître. Puis il avait retiré sa jambe et s'était rhabillé. Par cette opération burlesque Anne était reine des Romains, la Bretagne devenait province autrichienne, et la France, par trois frontières, se trouvait entourée par les possessions de l'archiduc. Devant cette menace d'asphyxie, le roi Charles VIII acheta d'abord la ville de Nantes à Alain d'Albret, puis déclara la guerre à la petite duchesse : les armées françaises se dirigeant vers Rennes entrèrent en campagne.

Mais la guerre entre la Bretagne et la France nous

entraînerait trop loin des rives de la Loire... Précisons simplement que le roi de France, dès le mois de juillet 1491, « possédait le duché de Bretagne fors la ville de Rennes et la fille qui était dedans ». *La fille qui était dedans* se trouvait en posture bien fâcheuse, étant assiégée par des troupes cinq fois plus nombreuses que les siennes. Bref, la jeune duchesse dut se rendre à son vainqueur qui, galamment, lui demanda sa main.

Ainsi, afin que la Bretagne devînt terre de France, le roi Charles décida-t-il de renvoyer au roi des Romains sa fille Marguerite d'Autriche et d'épouser... sa femme. « Ne vit-on jamais, en pays allemand, roi et empereur tolérer une telle honte ? » s'exclamait un chroniqueur autrichien.

Et Maximilien ne savait pas tout !

C'étaient ses florins qui payaient la robe de drap d'or et les cent soixante zibelines ornant la robe de noces d'Anne de Bretagne, demain reine de France...

***

Au début du mois de décembre 1491, la longue rue bordée de porches ouvragés qui traverse Langeais vit passer en « *magnifique arroi* » la duchesse de Bretagne qui s'en venait épouser le roi Charles VIII.

Etendue dans sa litière resplendissante de drap d'or, la petite duchesse, revêtue d'une robe de velours noir fourrée de zibelines, attire tous les regards. Son visage est grave et noble. Jolie ? C'est beaucoup dire ! D'après les témoignages des contemporains, elle possédait assurément du charme. Elle avait malheureusement un pied plus court que l'autre, mais Brantôme nous assure qu'on ne *s'en apercevait pas* et que *sa beauté n'en était point gâtée.* Faut-il le croire ?... Il ne l'avait jamais vue ! Quoi qu'il en soit, il est un fait : lorsque le roi aperçut Anne pour la première fois, il la trouva « tant belle, gracieuse, bénigne d'humeur et bien servie de corps que possible ». Le marié étant satisfait, ne soyons pas plus difficile que lui !

Quelle fut l'impression d'Anne en voyant son mari ? On ne sait ! Toute son attitude nous prouve qu'elle s'était résignée pour sauver son duché...

Aujourd'hui, en cette froide journée de décembre, elle regarde les hautes poivrières casquées d'ardoises, les pignons aigus, les murailles encore blanches de ce château, *chant du cygne* de la féodalité expirante (1), ceinturé de deux cent soixante-dix mâchicoulis et couronné d'un chemin de ronde, bien inutile aujourd'hui puisque la Bretagne et la France ont fait la paix... Cette redoutable forteresse dut paraître plus aimable à la petite duchesse de quinze ans lorsqu'elle vit la façade intérieure du logis ornée de fenêtres à meneaux et de lucarnes à festons s'ouvrant entre des tours polygonales élancées et fines.

C'est le mardi 6 décembre dans l'imposante salle du château que fut signé le contrat de mariage entre les deux époux. Ceux-ci s'offraient mutuellement le duché. Si Anne disparaissait la première, la Bretagne devenait propriété du roi Charles. Dans le cas contraire — si le roi de France n'avait pas de dauphin — le duché appartiendrait de nouveau à Anne qui — clause inattendue — s'engageait à épouser l'héritier du trône de France. En attendant, la jeune fille continuait à gouverner la Bretagne. De ce fait, les Bretons ne perdaient pas leur duchesse, mais celle-ci devenait reine de France.

Anne, dans sa robe de drap d'or, enrichie des cent soixante zibelines payées par le premier mari, s'avança vers la table et signa fermement le docu-

(1) Ce château avait été élevé là, une vingtaine d'années auparavant, par Jean Bourré celui-là même qui veillait sur la santé chancelante du dauphin Charles.

ment aux termes savamment choisis et établi par deux notaires tourangeaux.

Le soir venu, les jeunes époux furent laissés seuls dans la chambre du roi où Anne avait fait dresser le lit qu'elle avait apporté avec elle de Rennes. Rideaux, courtines et ciel en étaient d'or cramoisi doublé de taffetas rouge. La nouvelle reine ôta sa robe d'or... Mais le « reste » ne fut pas le seul secret des nouveaux mariés... Dans une pièce voisine d'où l'on pouvait tout entendre, six bourgeois rennais prêtaient l'oreille. Ils étaient chargés d'attester qu'Anne était devenue, *librement et pour la première fois,* l'épouse de son mari. Ils établirent un procès-verbal en des termes d'une crudité qui stupéfie aujourd'hui et qui ne sont guère publiables. Au moins Maximilien ne pourra-t-il pas soutenir — ainsi qu'il le clamait — que le roi, après avoir enlevé la jeune fille « à main armée », l'avait violentée ! Le pape lui-même crut d'ailleurs cette calomnie, en dépit du rapport de nos six bourgeois. Il n'envoya la dispense de consanguinité qu'à la condition *qu'il n'y eût ni rapt ni viol.* Peu importait d'ailleurs aux deux époux, car la bulle de dispense n'arriva que bien après le mariage... exactement un an plus tard. A cette époque, Anne faisait déjà ses premières couches !

Le ménage est allé demeurer au château du Plessis-lez-Tours où était mort Louis XI (1) et la petite Anne semble être fort heureuse. L'amour a pris la place de la résignation. « La reine est jalouse, nous dit l'ambassadeur vénitien, et désireuse de Sa Majesté outre mesure... si bien que depuis qu'elle est sa femme il s'est passé peu de nuits qu'elle n'ait pas dormi avec le roi. »

(1) Il ne reste aujourd'hui du château qu'un corps de logis en pierre et brique, coiffé d'ardoises et égayé par des lucarnes à meneaux. La chapelle, la galerie à arcades et les deux arches en retour qui encadraient la cour ont disparu.

HEURES DE NOCES... ET HEURES DE DEUIL

Résider au Plessis-lez-Tours n'est guère réjouissant, aussi la cour décide-t-elle d'émigrer à Amboise, bien que la petite Marguerite s'y trouve encore.

Moi Marguerite de toutes fleurs le choix
Ai été mise au grand verger françois
Pour demeurer près des fleurs de lys...

Elle y « demeura » jusqu'au mois de juin 1493. Anne et Charles sont alors mariés depuis un an et demi. La reine couvre de bijoux et de robes somptueuses sa petite rivale et Marguerite, en larmes, quitte la France escortée par tous les gentilshommes attachés à son service depuis dix ans.

Pour sa « chère Anne », Charles VIII désire construire un cadre digne de son amour et Amboise est alors tout bruyant de compagnons : « merveilleuse entreprise de roi jeune et qui ne pensait point à la mort ». Que reste-t-il aujourd'hui de ce gigantesque travail ? Les deux grosses tours « si spacieuses et artificiellement faites, disait Commynes, que charettes et litières y peuvent monter librement ». Subsiste également le corps principal du château dit *le logis du roi* dont les balustrades, les balcons, les ouvertures en plein cintre, les lucarnes varient pour chaque étage. La pierre médiévale a dû laisser la place aux splendeurs du style flamboyant. Mais c'est encore ici époque de transition : les architectes n'osent supprimer créneaux ni mâchicoulis, mais ceux-ci deviennent des motifs de décoration.

Grâce aux comptes du roi qui nous ont été conservés, nous savons que les murailles intérieures, décorées de lis de France et d'hermines de Bretagne, disparaissaient sous une profusion véritablement étonnante de tapisseries dont certaines — telles celles représentant la vie de Moïse, le Roman de la Rose, ou Esther et Assuérus — étaient composées de fragments mesurant ensemble cent cinquante *aunes de*

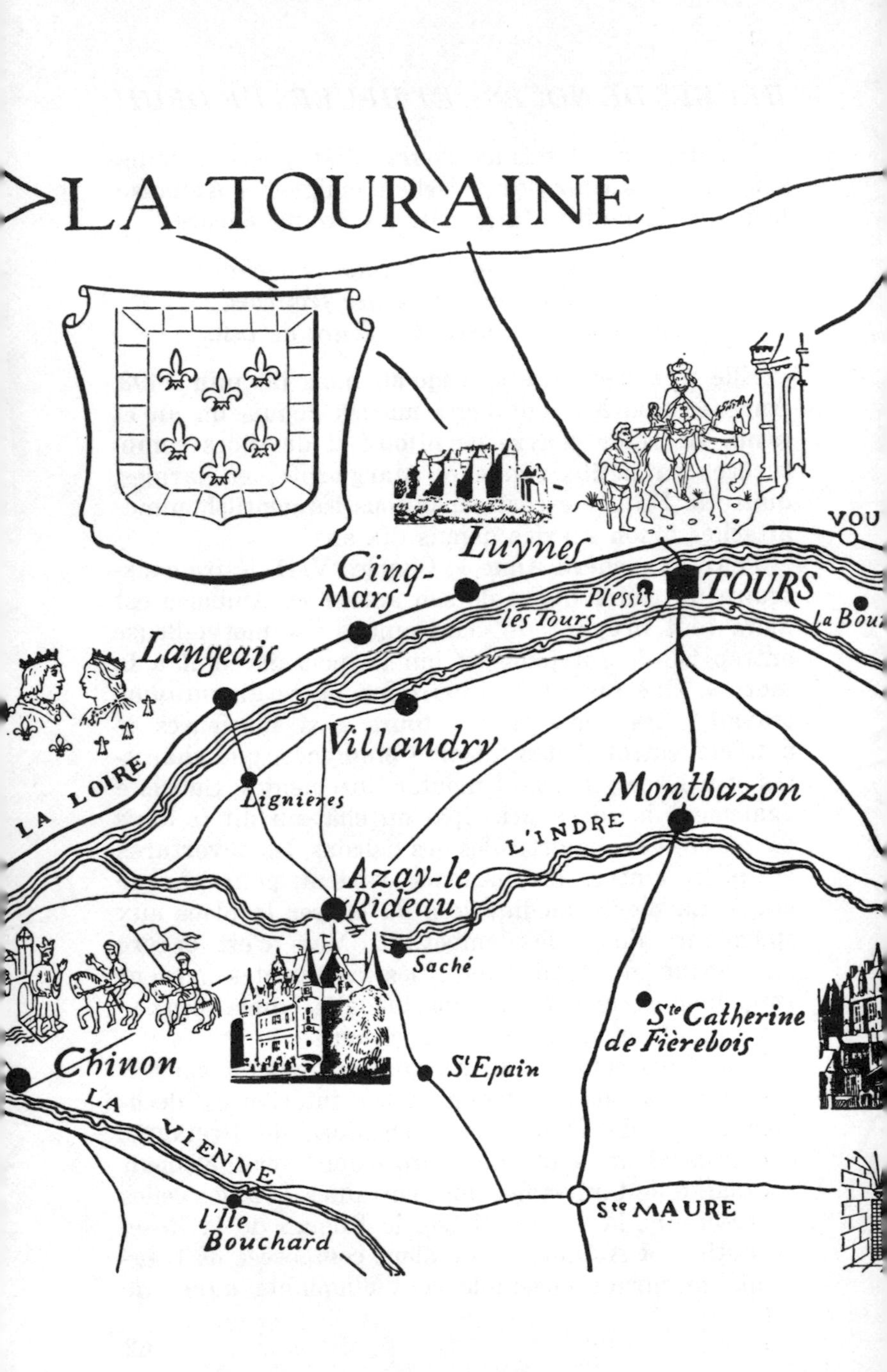
LA TOURAINE
Luynes
Cinq-Mars
TOURS
Plessis
les Tours
VOU
La Bou
Langeais
Villandry
LA LOIRE
Lignières
Montbazon
L'INDRE
Azay-le Rideau
Saché
Ste Catherine de Fièrebois
Chinon
St Epain
LA VIENNE
Ste MAURE
l'Ile Bouchard

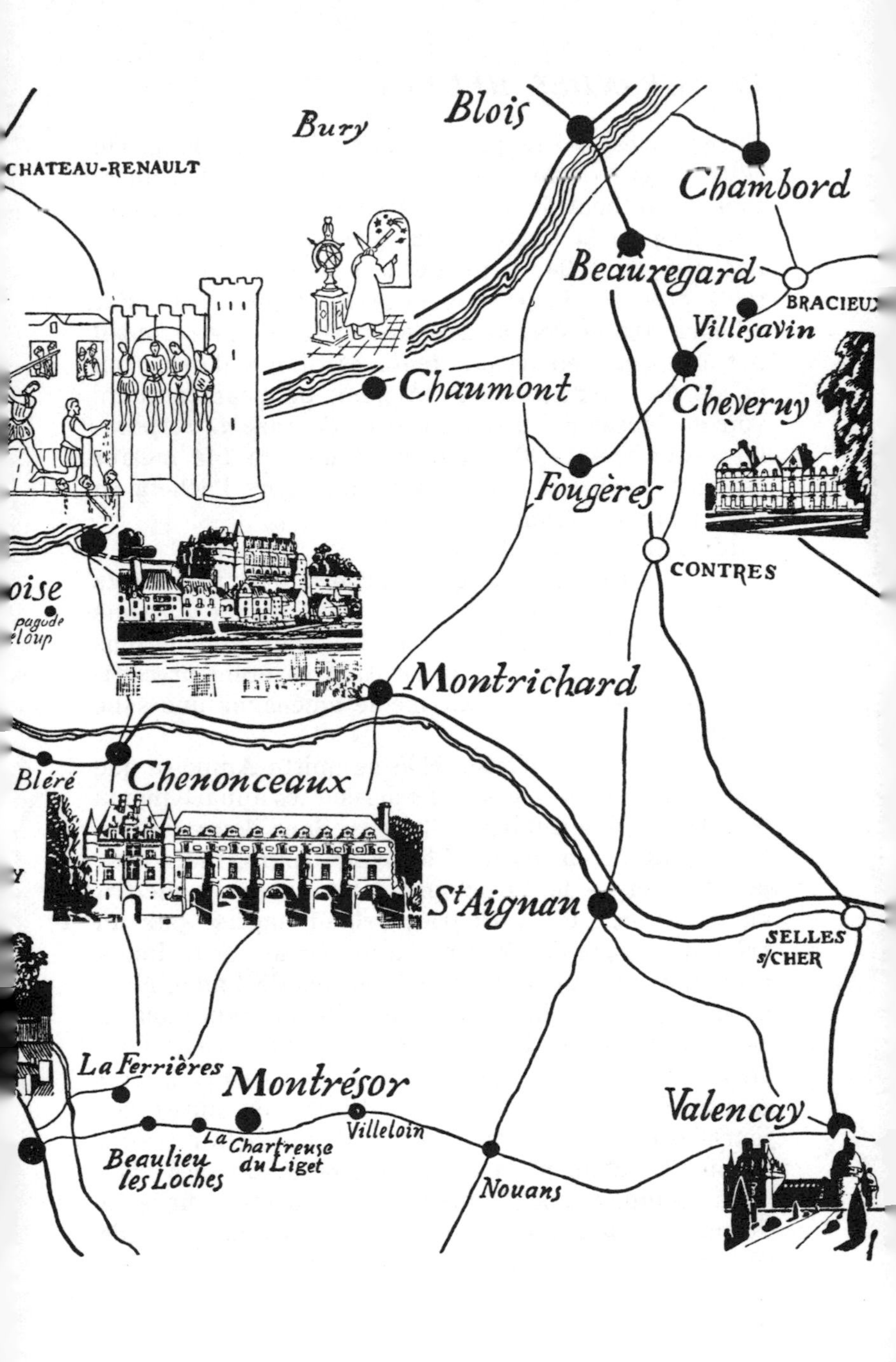

Bury
Blois
CHATEAU-RENAULT
Chambord
Beauregard
BRACIEUX
Villesavin
Chaumont
Cheveruy
Fougères
CONTRES
oise
pagode
eloup
Montrichard
Bléré
Chenonceaux
St Aignan
SELLES
s/CHER
La Ferrières
Montrésor
Valencay
La Chartreuse
du Liget
Villeloin
Beaulieu
les Loches
Nouans

France, c'est-à-dire plus de 175 mètres de long. On reste rêveur devant de telles dimensions ! Un autre compte authentifie ces chiffres en nous apprenant que, lors de la visite de la duchesse de Bourbon à Amboise en 1494, il ne fallut pas moins de quatre mille crochets pour suspendre les tapisseries ! Par ailleurs, afin de convaincre les incrédules, ne reste-t-il pas un spécimen de ces *tentures* dignes d'orner un palais de Gargantua ? A Angers, on peut toujours voir au Musée des Tapisseries la *Tenture de l'Apocalypse* qui compte 90 tableaux et mesure 144 mètres de long. Ajoutons que l'évêque d'Angers l'acheta en 1843 pour 300 francs...

Mais revenons à Amboise.

Sur l'ordre du roi, les planchers sont recouverts de plus de 150 « tapis venus de Turquie ». Anne aime les riches étoffes et ce que nous appellerions aujourd'hui le confort. Innovation sévèrement critiquée à l'époque : elle fait même aménager une salle de bains...

La reine est heureuse. Elle ne quitte Amboise que pour son souriant logis de Loches où ses appartements sont semés d'hermines bretonnes. Sans doute réside-t-elle plus rarement au Plessis-lez-Tours, mais c'est pourtant là — le 10 octobre 1492 — qu'elle mettra au monde un fils : Charles-Orland baptisé par un frère de l'ordre des Minimes... un certain Jean Bourgeois qui sera un jour saint François de Paule. Mais hélas ! trois ans plus tard à Amboise, l'enfant mourra de la petite vérole. La reine *en eut le plus grand deuil qu'il était possible que femme puisse avoir.* Le roi se consola plus vite. Revenu d'Italie où après des journées de gloire il avait été contraint à la retraite, il voulait s'étourdir, ne plus penser à tous ses vaillants compagnons tombés cette même année à Fornoue. Selon les conseils des médecins, afin de réjouir la reine, il ordonna *passe-temps et mômeries.*

Amboise, que les artistes italiens amenés par le roi ont encore embelli, n'est plus que fêtes ! Parmi les danseurs, se trouve le duc d'Orléans, cousin du roi, héritier du trône si Charles et Anne n'ont pas d'enfant. Il aime la reine en secret et, voulant la distraire, a organisé une mascarade *où il fit tant le fol que la reine, croyant qu'il se desmenast tant d'allégresse pour se voir plus prest d'être roi de France, lui fit une telle mine qu'il falloit qu'il sortit de la Cour et s'en allast en son château de Blois.*

Il en reviendra un jour...

En attendant, Amboise va vivre des heures sombres. Le 8 septembre 1496, Anne met au monde un nouveau fils qui meurt le 3 octobre. Dix mois plus tard, naît un autre petit prince : François. Il ne vivra que quelques jours et ira rejoindre dans la cathédrale de Tours son frère aîné (1).

Dix mois encore et la reine donne le jour à une fille qui meurt aussitôt.

⁂

Le samedi 7 avril 1498, à Amboise, le roi sort de la chambre d'Anne. Tous deux ont décidé d'aller voir jouer à la paume dans les fossés du château. Ils pénètrent dans la galerie Haquelebac. *C'estoit,* nous dit Commynes, le *plus deshonnête lieu de céans car tout le monde y pissoit.* En entrant, le roi, en dépit de sa petite taille, se heurte du front contre l'huis... Il titube, mais n'en poursuit pas moins sa route et va regarder les joueurs. Soudain, *tout en causant,* il tombe et perd la parole.

Il est alors deux heures de l'après-midi.

Le roi demeure là étendu sur une mauvaise paillasse

(1) Les deux tombeaux se trouvent dans la chapelle du croisillon sud.

dont jamais il ne partit jusqu'à ce qu'il eut rendu l'âme. La parole lui revient cependant trois fois et trois fois les assistants l'entendent soupirer :

— Mon Dieu et la glorieuse Vierge Marie, Monseigneur saint Claude et Monseigneur saint Blaise me soient en aide !

A onze heures du soir — il est étendu depuis neuf longues heures sur sa paillasse — Charles VIII expire.

Bien des historiens ont soutenu l'hypothèse d'un empoisonnement... Pourtant, ce qu'on ne saurait mettre en doute, nous dit le docteur Cabanès, c'est qu'il y a eu *un traumatisme crânien* et qu'il a très bien pu en résulter *soit une commotion cérébrale, soit même une fracture du crâne.* Cependant, on n'a observé chez le roi ni convulsions, ni paralysie, ni troubles de l'intelligence et de la sensibilité.

Alors ?

Il est difficile de prendre parti, bien qu'il semble que « l'ébranlement nerveux qui a dû résulter du choc » ait pu suffire à provoquer la mort.

Il y a quelques années, je me souviens que le guide du château d'Amboise montrait aux visiteurs la porte contre le linteau de laquelle le roi se serait heurté... Aujourd'hui les gardiens ont supprimé cet élément spectaculaire. Ils ont eu raison, car cette porte — devant laquelle le petit groupe dont je faisais partie frémissait — terminait une galerie construite par... Louis XII, et le linteau, prétendu meurtrier, portait bien en vue le porc-épic, emblème du successeur du malheureux roi Charles VIII !

Le duc d'Orléans, nouveau roi de France, sous le nom de Louis XII, se trouvait à Blois lorsque la porte trop basse de la galerie Haquelebac lui apporta la couronne de France. Par suite de l'accord de Langeais, l'accident de Charles VIII lui donnait aussi l'espoir de pouvoir épouser la femme qu'il aimait depuis bien des années. Ayant appris que la reine Anne gisait par terre dans un coin de sa chambre en sanglotant et en se tordant les mains, Louis eut la courtoisie d'attendre deux jours avant de se rendre à Amboise. Après avoir aspergé d'eau bénite le corps de son prédécesseur, il se présenta devant Anne. Son attitude fut si douce que la reine avouera avoir été *consolée par la singulière bénévolence* du nouveau roi.

Lorsque le corps traîné par six chevaux eut quitté Amboise pour Saint-Denis — par Blois et Orléans — Anne commença à réfléchir... Redevenue duchesse de Bretagne, elle regrettait fort le royaume de France. Mais le contrat de Langeais ne spécifiait-il pas qu'elle devait épouser le successeur du roi défunt ? Louis XII, âgé de trente-six ans, n'était peut-être pas un Adonis — ses yeux étaient gros, son front étroit, sa taille petite — mais son intelligence vive, ses goûts d'artiste faisaient de lui un homme plus séduisant que Charles VIII. Bref, Anne s'inclina et, quatre mois après l'accident d'Amboise — le 18 août 1498 — il fut décidé que l'ex-reine épouserait Louis XII aussitôt que le nouveau roi serait parvenu à faire rompre son mariage... car Louis XII était marié avec Jeanne la Boiteuse, laideron au cœur noble, fille de Louis XI. Pour obtenir l'annulation, Louis dut jurer ne point avoir touché sa femme. La laideur, le teint noir et même la bosse ne sont point suffisants pour déposer une requête en cour de Rome. Les juges ecclésiastiques ne s'inclinent que devant la non-consommation. Et pourtant, Jeanne avait bel et bien été la femme de celui qui portait, lorsqu'elle l'avait épousé, le titre de duc d'Orléans. Sans doute Louis, alors âgé de quatorze ans, avait-il été obligé d'épouser l'infirme par ordre du roi Louis XI, qui lui avait donné le choix entre sa fille ou l'ensevelissement dans un couvent mais le duc s'était promis de traiter sa femme comme une étrangère... Cependant, la chair est faible ! Il se trouvait en prison pour rébellion dans la tour de Lusignan, lorsque la pauvre boiteuse était venue le retrouver. A l'instar de Louis XI qui, chaque fois qu'il rencontrait sa fille, s'écriait : « Ah ! Je ne pensais pas qu'elle fût si laide ! » le duc d'Orléans s'était voilé la face... Mais un soir — sans doute rêvait-il à une autre ! — il avait laissé le fantôme bossu se glisser dans son lit. Lorsqu'il s'était réveillé, il avait oublié sa promesse...

Aujourd'hui, devenu roi, il niait cet instant de faiblesse... Et le tribunal ecclésiastique, après avoir reçu le serment de Louis XII, interrogea la pauvre Jeanne.

— Vous admettez, lui demanda un cardinal, que vous êtes mal conformée ?

— Je sais seulement que je ne suis pas jolie ni aussi belle de corps que la plupart des femmes.

— Mais vous reconnaissez que vous n'êtes pas apte au mariage ?

— Je crois, répondit-elle, y être aussi apte que la femme de mon écuyer Georges, qui est contrefaite, et n'en a pas moins eu des enfants !

Le roi l'avait-il traitée en épouse ? Jeanne avoua sa pauvre victoire.

— Je ne lui ai pas demandé de venir me rejoindre, répliqua le roi.

Des témoins furent cités et rapportèrent que le roi ne s'était marié que contraint et dans l'impossibilité de se soustraire à la volonté du roi Louis XI. Cela était exact... mais d'autres témoignages essayèrent de prouver que les deux époux avaient vécu l'un près de l'autre comme des étrangers. Jeanne, d'une voix calme, sûre d'elle, rappela qu'un faux témoignage nuisait à trois personnes : *à Dieu qu'il offense, au juge qu'il trompe, à la partie qu'il mystifie.*

Il fallait en finir, et le tribunal ordonna que la

reine fût visitée par des matrones qui diraient si Jeanne se trouvait encore vierge.

— Cette visite est inutile, déclara la reine, je ne veux d'autre juge que le roi mon seigneur. S'il affirme par serment que ses imputations sont véritables, j'accepte d'avance ma condamnation.

Le roi jura... et les juges donnèrent avis favorable. Cependant, pour épouser sa chère Bretonne, Louis XII devait obtenir du pape, Alexandre Borgia, une bulle de dissolution. Sa Sainteté tenait à faire payer cher sa complaisance. Avant son ordination, le pape avait eu un fils, devenu le cardinal César Borgia, archevêque de Valence, mais ce dernier préférait une couronne ducale au chapeau de cardinal. Il supplia son père d'être relevé de ses vœux ecclésiastiques et le Sacré-Collège, à qui César laissait les bénéfices de son archevêché — 35.000 florins d'or — donna son accord. Le pape demanda alors à Louis XII, pour son *bien-aimé fils César,* le duché de Valentinois et la main d'une princesse de France. En échange, le mariage de Louis et de Jeanne la Boiteuse serait dissous. Pour pouvoir épouser Anne de Bretagne, le roi de France aurait vendu son âme ! Il accepta donc le marché : le duché contre la bulle. Des ouvriers s'étant emparés de Blois, Louis fit savoir à Rome qu'il recevrait à Chinon le nouveau duc de Valentinois... et la précieuse bulle.

L'entrée de César Borgia — le 18 décembre 1498 — se fit avec une pompe qui remplit d'admiration les chroniqueurs et avec un luxe efféminé qui fit sourire le roi et ses gentilshommes.

On vit d'abord s'avancer vingt-quatre mulets rutilants, portant des bahuts, des coffres et jusqu'à une chaise percée tendue de brocart d'or ; puis trottaient vingt-quatre mulets avec des couvertures rayées rouge et jaune, dix mulets habillés de jaune *barrés tout à travers,* enfin dix mulets caparaçonnés d'or.

Quand tous les mulets furent entrés dans la ville, ils montèrent au château.

Il serait fastidieux après cette cavalcade muletière de faire la description et de dénombrer les pages, mignons, laquais, gentilshommes, menestriers, tambourinaires, trompettes... sans parler d'un nouvel escadron de mulets. Hommes et bêtes ruisselants d'or frisé d'argent, de cramoisi et de pierreries, précédaient le duc qui était monté sur *un gros et grand coursier harnaché fort richement avec une robe* — celle du cheval et non celle de l'ex-cardinal — *de satin rouge et de drap d'or mi-partie.* De plus, toujours le cheval, portait *force riches pierreries et grosses perles.* La description du costume de César *bardé de cordons d'or et bardé de pierres précieuses* est à vous donner une indigestion de diamants. Cuirassé de gemmes, il brillait tel un phare. Et pour faire *queue de tout,* il y avait encore vingt-quatre mulets trottinant avec des couvertures rouges.

Ainsi entra pour avoir grand renom
Ledit seigneur au château de Chinon.

La foule ébahie, battant la semelle pour se réchauffer, regardait passer le *bien-aimé fils du pape* qui avait été cardinal, amant de sa sœur et, dit-on, meurtrier de son frère.

C'était, là, assurément, un spectacle peu banal !

Deux enfants de quatre ans écarquillaient eux aussi les yeux ; l'un, d'une fenêtre du château, l'autre, dans la rue. Ils se prénommaient tous deux François. Le premier sera roi de France, le second... François Rabelais.

Dans la salle où Charles VII avait reçu Jeanne, Louis XII accueillit avec force amabilité le Valentinois. Dès qu'il fut en possession de la bulle, le roi partit pour Nantes où se trouvait Anne. Il galopa avec tant de hâte qu'il creva plusieurs chevaux, mais le 8 janvier 1498, il épousait enfin la veuve de son prédécesseur.

La pauvre Jeanne devenue duchesse du Berry s'en alla fonder le couvent des Annonciades. Elle y vécut une vie exemplaire. Les raisons politiques n'étant pas éternelles, quatre cent cinquante-trois ans plus tard, l'Eglise lui rendit justice en la plaçant au rang des Bienheureuses (1).

Il fallait maintenant trouver une princesse pour Borgia ! On avait d'abord pensé à Charlotte, fille de Frédéric d'Aragon. Mais la jeune fille ne tenait nullement à épouser ce bâtard fratricide. Au surplus, elle aimait Guy de Laval.

On se rabattit alors sur Charlotte d'Albret, sœur du roi de Navarre, fille du duc de Guyenne et demoiselle d'honneur de la reine Anne. Elle accepta et c'est à Blois que la jeune fille fut sacrifiée à la politique. L'épouse était « la plus belle fille de France », César la trouva telle et le lendemain de la nuit de noces il écrivit à Sa Sainteté une lettre où il donnait, dans un latin d'une précision intraduisible, une relation glorieuse de ses prouesses conjugales.

La vérité serait, paraît-il, moins brillante : « *le duc de Valentinois,* nous content les chroniqueurs, *demanda des pilules à l'apothicaire pour festoyer sa dame... Au lieu de lui donner ce qu'il demandait, celui-cy luy donna des pilules laxatives tellement que toute la nuit il ne cessa d'aller au retract...* »

Nous sommes au pays de Rabelais. Que le lecteur nous pardonne !

Quelques mois plus tard, César repartait pour Rome, laissant sa femme en Touraine. Un enfant devait naître un peu plus tard, mais la duchesse de Valentinois ne revit plus jamais son mari et l'enfant ne connaîtra jamais son père...

(1) Sa canonisation eut lieu en 1950.

V

HEURES ANXIEUSES

Les rives de la Loire vont bientôt voir apparaître un enfant qui reflétera toute la gloire de la Touraine, toute l'élégance angevine, autrement dit le roi François *qui est tout françoys*.

Lorsque, au début de 1488, sa mère, Louise de Savoie, alors âgée de douze ans, avait épousé Charles d'Angoulême, arrière-petit-fils du roi Charles V et cousin lointain du jeune Charles VIII elle montra qu'elle avait l'esprit large. En arrivant à Cognac, résidence habituelle de son époux, elle avait trouvé installées dans le château les deux maîtresses de son mari : Antoinette de Polignac, fille du gouverneur d'Angoulême et une jolie vassale nommée Jeanne Comte. La petite Louise s'était accommodée fort bien de la situation : elle fit d'Antoinette sa dame d'honneur et de Jeanne sa suivante.

Le comte Charles, trouvant en sa femme-enfant tant de compréhension, considéra qu'à tout prendre avoir épousé la jeune Louise n'avait pas été une trop mauvaise opération. Il s'était, en effet, engagé avec le duc de Bourbon et le sire d'Albret dans la *Guerre folle* et la régente Anne de Beaujeu, *femme fine et délliée s'il en fut oncques et vray portrait en tout du roy Loys XI, son père,* après avoir écrasé Charles d'Angoulême, *comme une gaufre entre deux fers,* avait exigé qu'il prît pour femme la fille du comte de Bresse, cadet de Savoie, et de Marguerite de Bourbon, sœur du duc de Beaujeu. De mauvaise grâce, Angoulême s'était incliné... mais en voyant que Louise ne le gênerait point, il estima qu'il n'avait pas acheté trop cher son pardon.

On mena donc joyeuse vie dans le logis neuf de Cognac... Vie si joyeuse que la petite Louise ayant atteint ses treize ans fut tout étonnée de ne pas encore être enceinte. Elle fit alors le voyage de Cognac à Plessis-lez-Tours afin d'implorer la bénédiction de François de Paule qui avait le pouvoir, disait-on, de rendre les femmes fécondes. Le saint ermite bénit la petite comtesse, la tranquillisa — à treize ans il n'y avait rien de perdu ! — et ajouta :

— Votre fils sera roi !

Comment était-ce possible ? Le trône se trouvait si loin des Angoulême !

Louise dut attendre sa quinzième année avant de pouvoir annoncer à son mari qu'il allait être père... mais, le 11 avril 1492, ce fut une fille qui vint au monde. On lui donna le prénom de Marguerite. Elle sera un jour reine de Navarre.

Au début de 1494, la comtesse, sa dame d'honneur et sa suivante furent enceintes toutes trois en même temps. Lorsque Louise sentit venir les douleurs, selon la tradition, elle se fit porter sous un arbre, dans un endroit bien tranquille, et ce fut là, sous un grand chêne, à la fin d'une chaude journée de septembre, que vint au monde celui qui vingt ans plus tard sera François Ier. Ce même été, Antoinette de Polignac donnait le jour à une fille, Madeleine, et la jolie Jeanne à la petite Souveraine.

Le comte était comblé !

François montra immédiatement un appétit supérieur à celui de ses deux sœurs et on dut lui donner deux nourrices. Ayant quatre seins rebondis à sa disposition, le futur roi fut à peu près rassasié !

Dans un étonnant pêle-mêle, femme, maîtresses, enfants et bâtards vivaient tous ensemble et la vie s'écoulait sans histoire. Le comte d'Angoulême qui avait des ardeurs de reste, chassait aussi souvent que possible et le soir, avant de choisir sa compagne de lit, écoutait Imbert Chandelier jouer de l'orgue ou rimer des ballades... Mais soudain, à la suite d'un chaud et froid, le comte mourut. Lorsqu'il fut placé sous son gisant, dans la cathédrale d'Angoulême (1), Louise ne renvoya point sa dame d'honneur et sa suivante. La vie reprit quotidienne et calme. La comtesse se consola, dit-on, dans les bras de son chambellan, Jean de Saint-Gelais... mais elle le garda pour elle toute seule.

Lorsque la nouvelle de la mort de Charles VIII parvint à Cognac, Louise aurait voulu embrasser le courrier... Bienheureuse porte basse ! Quel radieux matin d'avril ! Le duc d'Orléans, cousin germain du feu comte d'Angoulême devenait roi de France et le petit François héritier de la couronne, dans le cas où Louis XII n'aurait pas d'enfant !

Mais — revers de la médaille — il fallut quitter Cognac, Louis XII exigeant que son héritier vienne s'installer en Touraine. Louise, suivie de Saint-Gelais et de son étonnante maisonnée, arriva à Chinon où se trouvait le roi. Louis XII fut un peu choqué. Passe encore pour les bâtardes et les maîtresses du défunt comte !... mais le chambellan à tout faire le gêna et

(1) Le tombeau n'existe plus. Il fut détruit par les calvinistes en 1562.

il le remplaça par l'un de ses familiers : Pierre de Rohan, maréchal de Gié.

Louis XII préférait vivre à Blois, Louise et son mentor Pierre de Rohan vinrent donc s'installer à Amboise qui, depuis un demi-siècle, servait de résidence aux « dauphins ». Là, insouciant, heureux, le petit François s'adonnait aux *desports* (1) avec le petit seigneur de Florange — *le jeune Adventureux* —, le seigneur de Brion, Anne de Montmorency, et *tout plain d'autres gentilshommes*... lesquels eurent bientôt *grande accointance ensemble.* Ils jouaient souvent à la *grosse boule* — un ballon de la taille d'un homme — *faisoient de petits chasteaux et bastillons et s'assailloient l'un l'autre, tellement qu'il y en avait souvent de bien battus et frottez... Un peu plus grands commencèrent à eux armer et faire joustes et tournois de toutes sortes qu'on se pouvoit adviser...*

François pouvait revenir les habits déchirés, jamais il n'entendit le fameux : *Ça, ça, troussons ce cul !* terreur des *pauvres petits enfants escholiers innocens* de l'époque... Louise regardait son fils comme un dieu.

— Mon César ! s'exclamait-elle avec orgueil.

Cependant, la comtesse n'était pas heureuse. Tant pour la Bretagne que pour la France, le roi et la reine voulaient avoir des enfants. La mère du futur François Ier tremblait que cet espoir ne se réalisât ! Que d'heures angoissantes la Bretonne n'avait-elle pas infligées à Louise d'Angoulême avec ses perpétuelles grossesses annoncées à son de trompes à travers le royaume ? Pour que Dieu donnât un garçon à la reine Anne dans toutes les églises de France s'élevaient des prières vers le ciel, comme autour d'Amboise la fumée des brûlots de septembre.

(1) Le mot nous reviendra plus tard d'Angleterre.

Chaque fois, Louise crut que le royaume allait échapper à son fils... Mais chaque fois aussi la joie devait l'inonder. Des filles ou des cadavres ! Voilà tout ce que la reine offrait à la France anxieuse.

Lorsque la nouvelle qui soulageait le cœur de la comtesse d'Angoulême était apportée à Amboise, après avoir ordonné un service funèbre elle confiait sa joie à son journal intime : « *Anne, reine de France, à Blois, le jour de la Sainte-Agnès, eut un fils, mais il ne pouvait retarder l'exaltation de mon César, car il avait faute de vie.* »

Il y avait encore, pour la torturer, ce maudit traité de 1501 qui promettait en mariage la petite Claude de France, fille de Louis et d'Anne encore au berceau, à Charles de Luxembourg, futur Charles Quint. N'eût-il pas été plus raisonnable et plus sage de donner la petite princesse à François ? De plus, en échange du Milanais, Louis XII offrait à sa fille une dot inconcevable : outre la Bretagne, elle apporterait à son mari la Bourgogne et le comté de Blois ! Le royaume allait ainsi être coupé en deux !

C'est à Blois que tout s'était décidé. Le roi avait reçu là les parents du fiancé : l'archiduc d'Autriche, Philippe le Beau et sa femme, Jeanne, fille d'Isabelle la Catholique, qui s'en revenaient de leurs provinces de Flandre et regagnaient l'Espagne en traversant la France. D'une fenêtre du château, aux côtés de leur royal cousin, François et sa mère avaient regardé les six cents chevaux de l'escorte de l'archiduc défilant dans les rues de Blois. Durant cinq jours, ce ne furent que bombances... Les princes essayèrent bien de sortir mais la pluie les *rachassa*. Le 11 décembre, la mort dans l'âme, Louise entendit le roi et Philippe le Beau jurer sur l'hostie d'observer le traité... Le royaume de son François était tout dépecé !

C'est à la reine Anne qu'incombait la responsabilité de cette faute inqualifiable. Elle préférait voir son duché entre les mains de l'Espagne plutôt qu'à ce François d'Angoulême, fils de la femme qu'elle détestait... qu'elle jalousait surtout. Louise avait pu mettre au monde un solide gaillard tandis que Dieu semblait lui refuser la joie de donner le jour à un dauphin... Chaque jour davantage, le royaume semblait en effet devoir revenir à François. Le roi, miné par de terribles hémorragies internes, paraissait sur le bord de la tombe. En 1504, il se trouvait à Lyon et voulait mourir à Blois. On le transporta en litière jusqu'à Roanne. Là, afin d'éviter les heurts de la route, on mit son lit sur une barque et Louis descendit ainsi les eaux de la Loire. Le roi semblait à toute extrémité. A genoux sur les rives, les paysans ne savaient même pas s'ils voyaient passer un mort ou un agonisant !

Le maréchal de Gié, cousin d'Anne de Bretagne, mais amoureux, dit-on, de Louise — il avait succédé à Saint-Gelais dans toutes ses charges... — barra la Loire par 10.000 archers afin, en cas de mort du roi, d'empêcher la reine d'aller se réfugier en Bretagne avec sa fille Claude. Puis le maréchal s'installa à Amboise qu'il entoura de troupes afin que l'on ne vienne pas enlever le futur roi. Certain de la mort de Louis XII, il traitait la reine Anne avec la désinvolture de l'homme persuadé d'avoir sous peu un nouveau maître. Mais Louis XII ressuscita... Gié fut arrêté et Louise tomba de haut.

Après six mois de chevauchées, en avril 1505, le roi retomba malade à Blois, *ayant flux de sang, goutte, hémorroïdes.*

Cette fois il est perdu. Il reçoit l'extrême-onction et institue un conseil de régence... Il râle ! Dans toute la France s'élèvent des gémissements et des psalmodies. Des Parisiens se promènent tout nus dans les rues en se flagellant afin d'attendrir le ciel. Chacun brûle sa chandelle à son saint préféré. Anne fait le serment de se prosterner nu-pieds devant tous les calvaires de sa province. Le roi mourant se voue à la Sainte Hostie de Dijon, le cardinal d'Amboise à Notre-Dame de Cléry, Louis de La Trémoille à Notre-Dame de Liesse... et Louise voue tout le monde au diable pour voir le roi mort et son François assis sur le trône de France !

Cloué sur son lit de souffrances, Louis fit appeler son héritier à son chevet. Il le reçoit comme son fils. Enfin, il dicte son testament ordonnant l'annulation du traité de Blois. Sa fille Claude doit épouser François ! Louise exulte... Va-t-elle voir la fin de ses peines ? Mais Louis sort de son agonie et *fait très bonne chère*... Bientôt il part pour la chasse, un gerfaut au poing, surveillant la quête de ses limiers sans se soucier de la pluie et du vent... Demain il repartira pour le Milanais, poursuivant sa chimère italienne.

Cependant le roi ne revient pas sur sa décision concernant le mariage de sa fille. Il convoque les Etats généraux à Tours afin de souffler à la « nation » son devoir.

François — il porte aujourd'hui le titre de duc de Valois — a douze ans. Assis à côté du roi, il regarde les délégués des villes et des campagnes se presser, en ce 23 avril 1506, dans la grande salle du château du Plessis. Tous, à genoux, les yeux fixés sur le roi, ils remercient Louis d'avoir fait bonne police dans le royaume.

— Il semble que les poules eussent le casque en tête, s'exclame Thomas Bricot, chanoine de Notre-Dame de Paris.

— Vous êtes si sage, sire, reprend un vieux laboureur, vous maintenez justice et nous faites vivre en paix. Vous avez osté la pillerie des gens d'armes, et gouvernez mieux que oncques roi ne fit !

Et le pauvre homme, les mains jointes, pleure à

chaudes larmes. Mais Thomas Bricot va reprendre la parole.

— Les Etats supplient très humblement le roi que leur ayant montré autant grand signe d'amour par ci-devant que père peut faire à ses enfants, son bon vouloir fût que pour le bien de ses sujets il luy plût d'accorder le mariage de sa fille avec monseigneur d'Angoulême, Monsieur Françoys, icy présent, qui est tout françoys.

Et l'orateur *remonte les grands inconvénients qui pourroient advenir, si ladite dame estoit mariée au fils de l'archiduc ou à aucun prince estranger.*

Le roi, tout en souriant intérieurement, fait semblant d'être surpris par « cette chose de grande importance ». Il promet de réunir son Conseil et de donner promptement sa réponse aux Etats. En réalité, ce n'est pas ses conseillers que Louis va consulter, mais il lui faut convaincre la reine Anne... et la tâche ne sera guère aisée ! Le roi lui déclare en guise de préambule qu'il a pris la décision de *n'allier ses souris qu'aux rats de son grenier.* Anne de Bretagne, aveuglée par la haine qu'elle porte à la Savoyarde, discute âprement, faisant valoir l'intérêt de Claude...

— Estimez-vous, reprend le roi, qu'il n'y a point de différence que votre fille commande à la petite Bretagne, sous l'autorité des rois de France, ou qu'étant femme d'un très-puissant roi elle jouisse avec lui des commodités d'un très noble et florissant royaume ? Voulez-vous préférer le bât d'un âne à la selle d'un cheval ?

Anne devrait se taire. En épousant elle-même deux rois de France, n'a-t-elle point dédaigné le bât et choisi la selle ? Mais sa mauvaise foi la pousse à insister et Louis, en souriant, afin d'adoucir la leçon de l'apologue, lui rappelle que Dieu avait autrefois donné des cornes à la biche...

— Mais il fut contraint de les lui ôter, parce qu'elle voulait s'en servir contre le cerf !

Anne se tut... Louis ne l'avait point habituée à lui parler de la sorte, et le cerf, le 19 avril, peut réunir les Etats. Le légat d'Amboise prend la parole au nom du roi :

— Messieurs, le roi, notre souverain seigneur, a profondément pensé à la requête que vous lui fîtes jeudi dernier passé. Sur quoi le roi fait dire qu'il a pris de nombreux avis et réfléchi longuement, ainsi qu'il a coutume de faire en ses œuvres, qui touchent le bien de son royaume et de ses sujets, desquels il a fort à cœur, tant bien que souvent il veille quand les autres dorment, par quoi vous l'avez justement baptisé « *le Père du Peuple* »... Le roi, conclut le prélat, donne satisfaction à votre requête, il veut que le mariage se fasse de Madame Claude, sa fille, et de Monseigneur de Valois. Il veut et ordonne que les fiançailles se fassent jeudi prochain. Lesdits se marieront dès qu'ils seront en âge.

— Vive le roi ! clament les envoyés avec allégresse, et après son règne que Dieu lui donne le royaume du Paradis !

Le 21 mai, toujours au Plessis, ont lieu les fiançailles. La petite Claude n'a que sept ans et est portée dans les bras de Mme de Foix. Elle regarde avec admiration son fiancé de douze ans qui, paraît-il, se montre déjà fort amoureux.

Tous jurent d'observer le contrat.

— De bonne foi et de parole de roi, déclare Louis.

— De bonne foi et de parole de reine, dit Anne de Bretagne qui *était moult déplaisante de ce qui se faisait*, remarque un chroniqueur.

— De bonne foi et parole de princesse, crie Louise de Savoie, toute joyeuse.

Espagnols et Autrichiens prirent fort mal la chose.

— Les roys de France, expliqua Louis XII aux

ambassadeurs, quand ils viennent à la couronne, font un serment sy fort et sy inviolable que tout ce qu'ils accordent ou promettent après n'est de nulle valeur, pour sy que ce soit chose qui puisse touchier le bien ou utylité du royaume.

*
**

Louis consola Anne de Bretagne en essayant de lui faire la vie plus douce. C'est pour elle qu'il fit construire à Blois un pavillon qui porte son nom et le fameux logis ouvrant sur la cour du château. La féodalité n'est plus ici qu'un faible souvenir. Le chemin de ronde bordé par une balustrade ajourée est devenu presque un balcon. Le mot de « lucarne » convient mal à ces hautes fenêtres à meneaux, surchargées de motifs, de pinacles, de fleurons, d'armoiries et de galbes à crochets. Au premier abord la façade en brique et pierre de la cour paraît plus sobre mais en la détaillant, on aperçoit une profusion de losanges, d'arabesques flamboyantes, de fleurs de lys et de mouchetures d'hermines venant s'encadrer dans les moulures gothiques des piliers de la galerie... Cette galerie est une innovation car jusqu'à présent les appartements se commandaient les uns les autres.

C'est dans une chambre du premier étage — convertie aujourd'hui en musée — que, le 9 janvier 1514, Anne de Bretagne sent qu'elle va rendre l'âme.

C'est un hiver atroce. Toutes les rivières de France son gelées. Les loups affamés attaquent les paysans jusque dans les bourgs. Partout le pain manque. A Blois, la paille de champs entiers a été répandue sur les parquets, des forêts brûlent dans la cheminée de la chambre de la reine, sans pouvoir apporter un peu de chaleur à la moribonde... Elle souffre cruellement. On l'entend murmurer :

— Ma fille Claude !

Oubliant sa haine, elle confie la jeune fille à Louise, sa rivale, et la charge de l'administration de ses biens...

Puis dans d'atroces souffrances, elle rend le dernier soupir.

Louis, effondré, les yeux noyés de larmes, regarde celle qu'il a aimée de toute son âme... celle pour laquelle il s'est damné ! Pour pouvoir épouser Anne ne s'était-il pas laissé aller jusqu'à faire un faux serment ? N'avait-il pas juré ne point avoir touché la pauvre Jeanne ? Dieu les avait punis... Dieu avait refusé de bénir leur union en leur accordant un fils. Un dauphin ! Que de pèlerinages ! Que de sources miraculeuses ! Que de saints bretons n'avaient-ils pas invoqués ! Huit fois la reine avait été enceinte ! Huit fois !... Plus que la vie même, il avait désiré un fils ! Et aujourd'hui, tout été consommé !

Pour l'amour d'Anne, il avait voulu conquérir l'Italie. Neuf fois il avait franchi les Alpes. Les Génois s'étaient donnés à lui... Ah ! il aurait mieux fait de s'écrier comme Louis XI :

— Et moi je les donne au diable ! J'ay assez appris que d'envoyer des armées au-delà les monts n'est aultre chose que d'acquérir du repentir avec grandes dépenses et grandes difficultés !

Sans doute avait-il conquis en vingt jours le duché de Milan, sans doute lui avait-on donné le nom de *vainqueur d'Agnadel.* Quel beau titre ! Quelle belle entrée à Milan ! Mais quel réveil aussi ! Le pape Jules II, qui détestait la France, avait pris la tête de la coalition et frappé d'interdit le roi Louis. La reine avait cru son mari damné... et durant toute la durée de l'excommunication, ils avaient dû vivre tous les deux comme frère et sœur ! Anne l'avait exigé ! Sur son ordre, toutes les églises de Touraine et de Bretagne avaient prié Dieu pour obtenir la fin de la guerre impie ! C'est-à-dire la défaite française.

Et pendant ce temps-là, en Italie, Louis XII et ses hommes d'armes priaient Dieu pour obtenir la victoire... et Dieu avait écouté la reine !

Le 13 septembre 1513, La Trémoille avait dû capituler à Dijon. D'un trait de plume, toute l'Italie était perdue ! De tout le sang répandu pour l'or du beau duché, de tous les chariots d'or ramenés de Milan, il ne restait plus rien ! Les revers avaient tout emporté. *Gloire et fumées d'Italie !* soupirait Commynes.

Ne pouvant retenir ses sanglots, le roi Louis regarde, à travers ses larmes, Jean Ferreal peindre la *remembrance de la reine.* Le roi n'a plus, lui aussi, qu'à mourir... Une dernière fois il regarde le visage de sa chère Anne.

— Faites un caveau assez grand pour elle et pour moi, ordonne-t-il. Devant que l'an soit passé, je serai avec elle et lui tiendrai compagnie.

Puis voûté, vieilli, il s'en va dans sa chambre, condamnant sa porte à tous ceux qui n'étaient point vêtus de drap noir.

Le roi quittera bientôt les rives de la Loire, il ira s'enfermer aux Tournelles et épousera cette même année 1514 une jeune fille de seize ans, Mary d'Angleterre, sœur de Henri VIII, avec l'espoir chevillé au corps d'avoir enfin un héritier. Mais il épuisera sa vie sans pouvoir la donner.

Au début de l'hiver il ne doute plus que sa fin est proche. Il a appris à lire dans le regard avide de François le temps qu'il lui reste à vivre et, au mois de décembre 1514, les yeux du comte d'Angoulême brillent étrangement ! Louis XII s'éteignit au soir du 1er janvier 1515 *par le plus horrible temps que l'on pût voir.* Il avait tenu parole à Anne et son corps s'en alla rejoindre celui de sa chère Bretonne dans la crypte de Saint-Denis.

VI

L'HEURE DE MARS ET L'HEURE DU BERGER

Au mois d'avril 1515, le roi François Ier, qui vient d'être sacré, quitte Paris et se dirige vers le Val de Loire. A Gien, il embarque avec sa suite imposante sur des chalands et descend la Loire jusqu'à Blois. Quel déménagement ! Plus de 3.000 chevaux suivent le chemin longeant la Loire. Que nous voilà loin de la parcimonie de Louis XI ou de la simplicité du Père du Peuple !

Le roi, plaisantant avec ses jeunes compagnons, regarde défiler les rives nonchalantes du fleuve. François, en dépit d'un nez qui n'en finit pas, est d'une prenante beauté. Il est « glorieux et triomphant ». Quelle robuste carcasse ! Son poignet peut soulever les plus lourdes épées. Large torse, larges épaules, jambes courtes... Un corps taillé pour la guerre (1) !

(1) Plus de trois siècles plus tard, Alexandre Dumas, lors des journées révolutionnaires de 1830, sauvera du pillage de Cluny l'armure de François Ier. Il lui faudra faire trois voyages pour pouvoir porter jusque chez lui ventaille, genouillères, cussot et plastron.

Arrivant à Blois, le roi monte au château et passe sous le porche du logis construit par son prédécesseur où se voit — c'est Brantôme qui parle — le *pourtraict du roy Louis XII qui est là engravé en pierre sur un cheval avec une fort belle grâce et guerrière façon* (1) !

Le roi François lui aussi ne pense qu'aux « guerrières façons ». Il n'a en tête que l'Italie mais il lui manque encore « le nerf de la guerre » : l'or ! Voilà plus de deux mois qu'on aurait pu donner l'ordre de recruter les lansquenets allemands. La piétaille aurait déjà pu prendre le chemin de Lyon mais le trésor est vide !... François n'était même pas parvenu à trouver les 13.000 livres nécessaires pour payer les funérailles du roi Louis. Les religieux de Saint-Denis et les clercs desservant la chapelle royale l'avaient bien deviné ! Ils s'étaient battus dans la basilique autour du drap d'or qui recouvrait le cercueil. Ah, le vilain tumulte ! Il avait fallu le bruit du cercueil tombant lourdement sur les dalles pour les calmer.

Le roi se devait de remplir les coffres... l'Italie était là ! Une belle proie qui s'offrait et l'appelait à lui. Il fallait que cet été il franchisse les Alpes à la tête de ses chevaliers... Car il tenait à y aller lui-même : il aurait eu honte à y envoyer quelqu'un d'autre à sa place ! Il se voyait déjà conduisant cette presse, ce torrent d'hommes et de chevaux bardés de fer, débouchant des hautes gorges et dévalant vers la plaine. L'éclair des piques et des armes ! Quelle surprise pour l'ennemi !

A Blois, durant tout ce mois de mai, le roi prépare l'expédition. On fait fondre la vaisselle d'or de Louis XII et l'opération procure un million d'écus.

(1) L'actuelle statue équestre placée dans la niche flamboyante et fleurdelisée est une reproduction datant de 1857 et imitant celle qui se trouvait là auparavant et qui fut détruite en 1792.

De son côté, le chancelier Duprat avance dix mille louis. En même temps, François achète la neutralité du roi Henri VIII et traite fort cher avec Charles d'Autriche. Il s'allie avec Venise, avec le duc de Gueldre, avec le duc de Lorraine. Une seule chose compte : Milan !

Le 4 juin, il quitte Blois pour Amboise. La petite ville réserve à son seigneur une joyeuse entrée. Les bourgeois sont reconnaissants. Au mois de janvier, avant même de partir pour Reims, le roi leur avait écrit augmentant les droits et les privilèges de la petite ville *en souvenir des plaisirs et récréations que nous et nos prédécesseurs avons toujours pris au somptueux château construit et édifié en icelle.*

Le 26 avril, Amboise voit la première fête du règne : le mariage du duc de Lorraine et de Renée de Bourbon, sœur du fameux connétable. Le roi, qui *ne faisait que penser comment il pourrait de jour en jour donner plaisirs à cette belle compagnie,* eut l'idée de combattre en corps à corps avec un sanglier et bientôt les veneurs ramenèrent un vert sanglier de quatre ans qui s'ébrouait *dans un grand coffre fait de barreaux de chêne bien bandés de fer.* Louise de Savoie et la reine Claude supplient François d'abandonner son projet. Le roi s'incline avec galanterie et transforme la cour du château en arène de cirque. Il ordonne *d'attacher* des fantômes à des cordes tendues au milieu de ladite cour *pour voir comment ladite bête furieuse assaillerait à première vue.* Après avoir déchiré à belles dents les mannequins, le sanglier fonce sur une ouverture *mal étoupée.* C'est l'entrée d'un escalier. Une minute plus tard l'animal bavant, le poil hérissé, *turquetant ses marteaux* — autrement dit ses défenses — débouche dans la chambre où se trouve le roi. François, d'un geste, écarte ses gentilshommes, tire sa forte épée *bien tranchante et piquante et hardi et assuré* passe sa lourde lame *tout au travers du corps* de la bête. Le sanglier a la vie chevillée au corps. Il s'en va, prend un autre escalier, le descend, *marche dedans la cour environ cinq ou six pas, puis tombe mort.*

Trois jours plus tard — le 29 juin — à trois heures du matin, le roi monte à cheval. Il va franchir les monts et la guerre le conduira jusqu'à Marignan. François est parti sans bruit car il a caché le jour de son départ à la reine Claude, celle-ci étant *fort ensaincte.*

Cette fois la reine ne donnera pas au roi un héritier mais une fille qui, née à Amboise le 23 octobre, recevra le nom de Charlotte.

Blois revoit la cour pour les fêtes de Noël, puis c'est au tour d'Orléans d'accueillir le roi qui, la nuit, court *en habits dissimulez et bigarrez* les tavernes et les rues avec ses amis Florange, Bonnivet et Montmorency. Il se délasse ainsi des soucis politiques — paix avec les Suisses, paix avec Henri VIII, paix avec l'empereur, concordat avec le pape.

Une blessure reçue à Marignan l'a obligé à couper ses cheveux et à laisser pousser sa barbe et toute la cour suit son exemple.

Pauvres barbiers bien être morfondus
De voir ainsi gentilshommes tondus...

chante Marot... Mais le reste du morceau est trop gaillard pour être donné ici.

L'œil brillant, la lèvre gourmande, François regarde toutes les femmes et ne pense qu'à l'amour. Claude néanmoins ne peut se plaindre d'être sacrifiée. Le roi va la visiter et le 28 février 1518 dans son lit orné de crêpe empesé, elle met au monde *un beau daulphin qui est le plus beau et puissant enffant que l'on sçaurait voir.*

— Dites au roi, s'extasie la reine, qu'il est encore plus beau que lui !

Le beau daulphin tant désiré en France reçoit le titre de duc d'Orléans et le baptême est célébré par de *grands triomphes*. Des tableaux animés sont représentés. On peut voir l'hermine de la reine et la salamandre du roi mettre en fuite des bêtes fauves rugissantes *et ces bêtes moulées avaient toutes si très beaux mouvements qu'il n'était personne qui ne les pensait être naturelles.*

C'est l'apogée d'Amboise ! Quelle vie dans le château ! Que de gentilshommes vêtus d'or, d'argent, de damas, qui montent à cheval la rampe tournante de la tour Hurtault ! Ils ne quittent leurs montures richement caparaçonnées qu'aux portes de l'appartement royal.

François passe toutes ses journées à la chasse. Souvent à son retour, écrit Claude Terrasse, le roi s'arrête au manoir du Clos-Lucé.

— Mon père, dit-il en entrant, mon père, je vous viens voir.

« Vers lui s'avance un vieillard magnifique et souriant, dont la barbe soyeuse descend jusque sur la poitrine. C'est Léonard de Vinci. Il vit paisiblement dans ce petit manoir, avec son disciple Francesco Melzi et son serviteur Battista de Villanis, au milieu de ses livres, de ses dessins, de ses estampes. Il a soixante-quatre ans. Mais il paraît centenaire. Il a tant travaillé, tant pensé, tant souffert dans sa vie ! Cependant il travaille encore, bien que la paralysie crispe sa main. Il a pris des croquis du château d'Amboise. Il couvre de notes, de projets d'édifices maintes feuilles de papier. Et il écrit ces notes à l'envers, selon son habitude, en s'aidant d'un miroir. Le roi l'entretient d'Amboise, des fêtes et des réjouissances que l'on prépare. »

Que de fêtes Léonard n'avait-il pas organisées ! Que de costumes pour mascarades et tournois n'avait-il pas dessinés en l'honneur de la ravissante Françoise de Foix, dame de Châteaubriant, le grand amour du roi, en ce début de règne.

Car quand je pense au jour que je te vis, lui écrira le roi au lendemain de la première entrevue.

> *Tous mes pensers jusqu'au plus haut volèrent*
> *Te contemplant et là ils demeurèrent.*

François jure encore — et toujours en vers :

> *Mais toi seule es en mon endroit élue*
> *Pour réconfort de cœur, corps et vue.*

Françoise s'abandonne et, en ces termes, le fait savoir à son royal soupirant :

> *Ce que te veux maintenant réveller*
> *C'est qu'il te plaise de garder mon honneur*
> *Car je te donne mon amour et mon cœur.*

Françoise de Foix, dame de Jean de Laval, seigneur de Châteaubriant, était brune.

> *De grant beauté, de grâces qui attirent,*
> *De bon savoir, d'intelligence prompte...*

du moins, c'est Clément Marot qui nous l'affirme et les témoins du temps ne le contredisent point. Le mari prit tout d'abord quelque ombrage de la liaison du roi et de sa femme. De ce fait, les contemporains le considèrent comme un *mari mal élevé.* Cependant, peu à peu, — sauf quelques brefs accès de colère — Jean de Laval se fit une raison et accepta même de partir en mission pour Nantes, afin d'obliger les Bretons à payer l'impôt... en réalité pour laisser le champ libre au roi.

La liaison durera plusieurs années. Bien entendu François, infidèle et inconstant, vogue souvent vers d'autres lits... Il le reconnaît avec franchise et, semble-t-il, avec regret :

Où êtes-vous allées mes belles amourettes
Changerez-vous de lieu tous les jours

Françoise sait que son amant ne peut résister lorsqu'un petit morceau de femme passe près de lui.

Car j'ai grand peur que déjà tu commences
A te servir des ailes d'inconstance...

soupire-t-elle.

Il s'en servira surtout pour papillonner autour de la blonde Anne de Pisseleu d'Helly, bientôt duchesse d'Etampes. La dame de Châteaubriant s'en est vite aperçue et s'empresse de le faire savoir au roi.

Par doux regards et façons assurées
Crêpés cheveux ont pris votre pensée.

Elle essaie de se défendre. Comment le roi peut-il préférer à ses charmes piquants cette Pisseleu et sa fadeur blonde !

Car la teinte noire et la noire couleur
Est de haut prix et de plus grande valeur !

Sa chair ambrée n'est-elle pas plus jolie, plus chaude ? Tout le monde ne sait-il pas que :

Ce qui est froid est contraire à nature ?

Mais François ne craint pas la froidure et trouve piquant d'aller de la brune à la blonde... sans compter la mélancolique Claude.

D'en aimer trois ce m'est force et contrainte !

Françoise essaie de rendre le roi jaloux et se laisse aller — affirme Brantôme — dans les bras de l'amiral de Bonnivet. Un jour — c'était, paraît-il, à Amboise — la dame de Châteaubriant se consolait avec son amiral des infidélités royales, lorsque François vint à frapper. Il semblait d'humeur à apprécier la « noire couleur » et Bonnivet n'eut que le temps d'aller se cacher dans la cheminée où *l'on avait mis branches et feuilles car c'était en été.* Françoise avait beau avoir été comblée, elle accueillit son royal amant avec appétit... Lorsque le roi fut prêt à partir... mais laissons la parole à Brantôme — le lecteur pudibond aura peut-être pour lui plus d'indulgence : *François,* écrit l'auteur des *Dames Galantes, voulut satisfaire un besoin pressant. Faute d'autre commodité, le vint faire dans ladite cheminée dont il était si pressé qu'il en arrosa le pauvre amoureux en forme de chantepleure de jardin de tous côtés... Je vous laisse à penser en quelle peine était ce gentilhomme car il n'osait se remuer.*

Ne tenons pas trop rigueur au roi d'avoir passé le plus clair de son temps à guerroyer ou à s'occuper de ses « belles amourettes ». Surveillés par un roi tâtillon les grands maîtres des Finances royales auraient été moins libres... Gilles Berthelot n'aurait pas fait construire Azay-le-Rideau, Thomas Bohier élever Chenonceaux, et Jean Breton bâtir les châteaux de Villandry et de Villesavin. Ces grands financiers furent de grands amateurs d'art, mais — à l'instar du fameux tourangeau Semblançay qui confondait les revenus du royaume avec les siens — ils furent aussi *d'inextricables sacrificateurs des finances,* selon l'expression de Louise de Savoie. Lorsqu'on sait que les « distractions » de Semblançay nous valurent son magnifique hôtel de Tours (1), lorsqu'on regarde le délicieux Azay-le-Rideau refléter sa blancheur dans le miroir de l'Indre, lorsqu'on admire la splendeur de Chenonceaux se mirant dans les eaux du Cher, lorsqu'on découvre l'élégance de Villesavin, lorsqu'on erre dans les jardins entourant le noble et doux Villandry, ne se sent-on pas plein d'indulgence ? Les

(1) Situé entre la rue Nationale et la rue Jules-Favre, il fut malheureusement détruit en 1940.

malhonnêtetés de ces féodaux financiers, leurs crimes de *péculat* nous procurent aujourd'hui tant de joie, qu'il faut bien leur pardonner de s'être servi des écus des contribuables pour construire tant de merveilles !

***

La reine Claude est loin d'être jolie, mais elle est si bonne, si douce, si tendre que le naturaliste François Belon pensera tout naturellement à elle lorsqu'il lui faudra baptiser la prune qu'il rapportait d'Orient afin de l'acclimater en Touraine.

Sa demeure favorite est le château de Blois. N'est-elle pas comtesse de Blois ? Là, elle est bien chez elle et Françoise de Châteaubriant y vient assez rarement.

C'est pour faire plaisir à sa femme que François Ier ordonnera de poursuivre l'œuvre de Louis XII et de construire l'aile qui portera le nom du roi. Elle devrait porter celui de la reine ! Ce logis si français en dépit de ses pilastres florentins, cette ordonnance assouplie, ses rinceaux de feuillages, ses chapiteaux en corbeille, ses rubans qui sont mêlés à tous les motifs sont bien l'ornement de la demeure de cette tendre et mélancolique figure de la fille de Louis XII, cette reine Claude, un peu effacée, un peu pâle, humble fleur à côté du chêne royal. Sur le fameux escalier aux lignes montantes, auprès de la salamandre flamboyante se voit l'hermine de Claude, blanche comme son âme, de cette lune aussi — son emblème — accompagnée de sa devise *Candida candidis* qui pourrait, je crois, se traduire par : *j'offre mon cœur aux gens de cœur.*

Ici la Renaissance cesse d'être un ornement pour devenir un style architectural. « Je crois, dira plus tard La Fontaine en contemplant l'aile François Ier

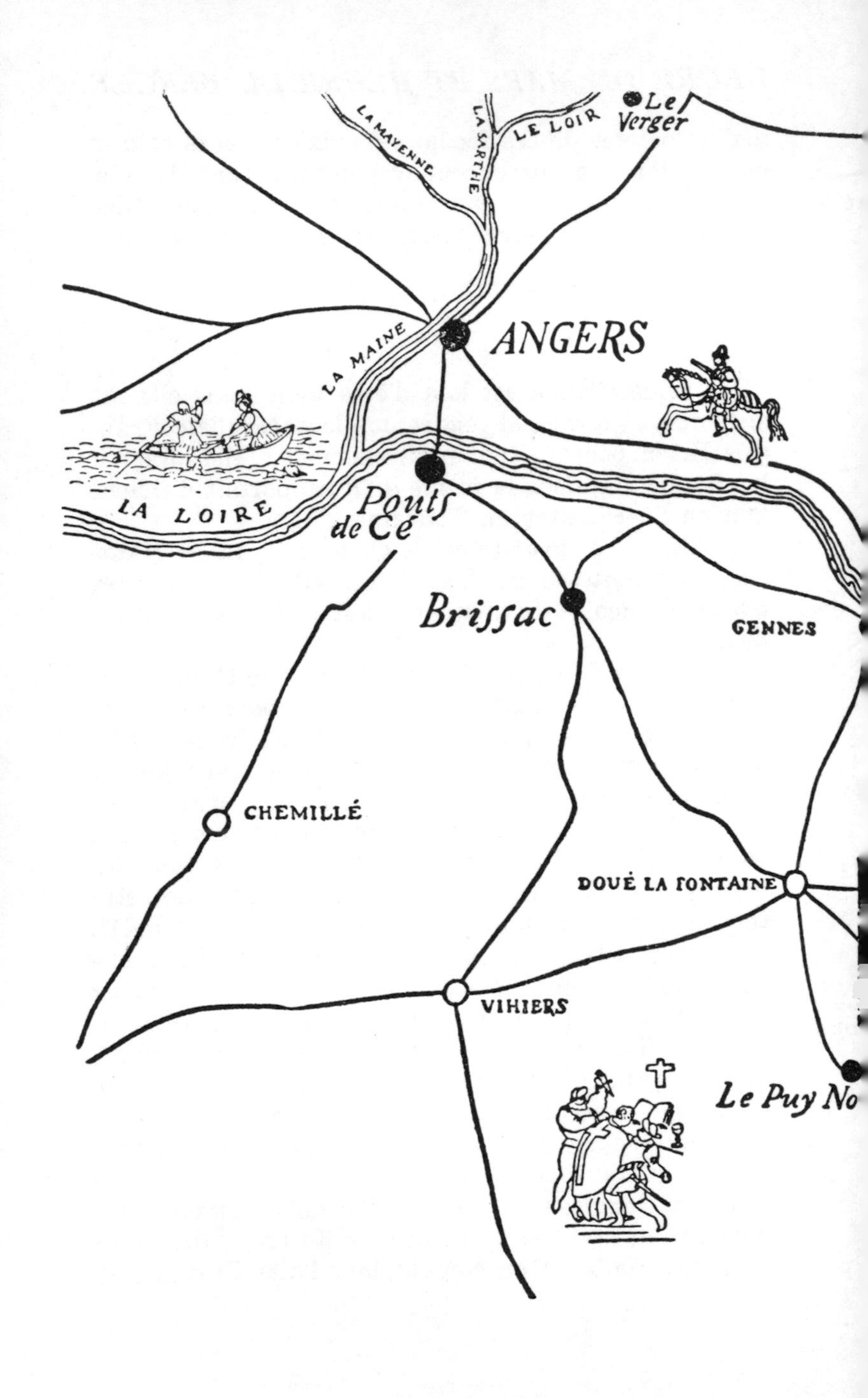
Le Verger
LE LOIR
LA SARTHE
LA MAYENNE
LA MAINE
ANGERS
LA LOIRE
Ponts de Cé
Brissac
GENNES
CHEMILLÉ
DOUÉ LA FONTAINE
VIHIERS
Le Puy No

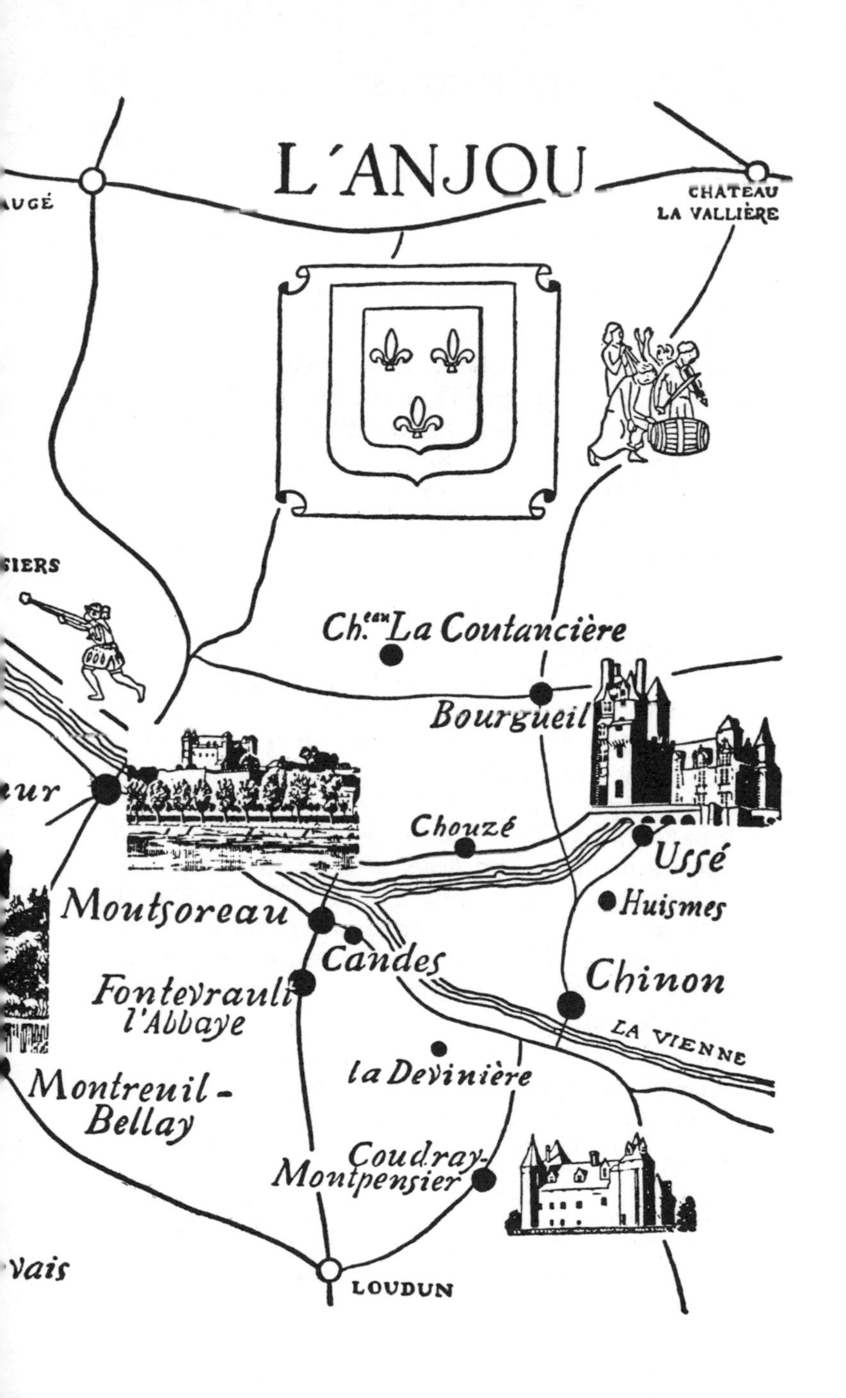
L'ANJOU
CHATEAU
LA VALLIÈRE
Chteau La Coutancière
Bourgueil
Chouzé
Ussé
Huismes
Moutsoreau
Candes
Chinon
Fontevrault
l'Abbaye
LA VIENNE
la Devinière
Montreuil-
Bellay
Coudray-
Montpensier
LOUDUN

du château de Blois, je crois que difficilement on pourrait trouver un aspect plus riant et plus agréable. Il y a force petites galeries, petites fenêtres, petits balcons, petits ornements sans régularité et sans ordre. Cela fait quelque chose de grand qui plaît assez. » La Fontaine avait du mérite ! Au XVIIe siècle on détestera la Renaissance :

C'est à Blois que Claude devait sentir les premières atteintes du mal qui l'emportera, en 1524. *Fatale année pour la France qui perdit le duché de Milan, deux armées et une reine !*

L'année suivante, la France — et surtout la Touraine — perdra son roi à Pavie.

Lorsque François reviendra de captivité, ses pensées se tourneront vers Chambord. A Blois et à Amboise, il n'avait fait que poursuivre l'œuvre de ses prédécesseurs. A Chambord, il est chez lui. Cette demeure enchantée, ce château « magique » qui, tel un casque, élève son cimier au-dessus de la forêt, est bien le palais d'un roi chevalier. Ainsi que l'a imaginé Vigny, on dirait qu'au cours d'un conte des *Mille et Une Nuits* un génie de l'Orient a enlevé le château au pays du soleil *pour le cacher au pays du brouillard avec les amours d'un beau prince.*

Lorsque, au mois de décembre 1539, Charles Quint traversant la France, se rendra à Gand pour châtier les bourgeois, il s'arrêtera à Chambord et sera ébloui devant cette étonnante gageure, cette féerie de pierres blanches coiffées d'une véritable ville suspendue, une ville de tourelles, de hautes cheminées carrées, de donjons, de tours d'angle, de hautes lucarnes formant un éclatant cortège qui entoure la célèbre lanterne à jour épaulée d'arcades et soutenant la gigantesque fleur de lys de France.

L'escalier de Chambord, les révolutions qui tournent sans se rencontrer, laisseront l'empereur Charles-Quint bouche bée... C'était d'ailleurs là son attitude habituelle. Les végétations qui avaient envahi son nez l'obligeaient à garder la bouche perpétuellement entrouverte, d'autant plus que cette fois, depuis Hendaye, il traînait un rhume qui l'obligeait à renifler sans cesse.

Il demeura confondu devant ce colossal.

— C'est l'abrégé de ce que peut effectuer l'industrie humaine, s'exclama-t-il.

Fut-il un peu jaloux ? Peut-être ! Car, visitant un peu plus tard une abbaye, il voulut montrer à son hôte sa puissance et sur le registre que lui tendit l'abbé mitré, il aligna sous sa signature ses nombreux titres... et Dieu sait s'il en avait ! Le roi de France prit ensuite la plume et traça quatre mots : *François, seigneur de Vanves.*

Pour étonner encore l'empereur, le roi, à Amboise, lui fit faire une entrée de nuit par la tour Hurtault où, rappelons-le, on pouvait monter à cheval et même en litière. Le chemin — on n'ose dire l'escalier — était à un tel point garni de flambeaux *et autres lumières,* nous raconte du Bellay, *qu'on y voyait aussi clair qu'en une campagne en plein midi. Bien était l'empereur à mi-chemin dans ladite tour quelque malavisé portant une torche y mit le feu de sorte que ladite tour fut enflammée et à cause des tapisseries où le feu se mit, la fumée fut si grande ne pouvant expirer qu'il fut confus en grand doute que l'empereur ne fut étouffé.*

Charles Quint se montra néanmoins gracieux et aimable... Peut-être — le chroniqueur ne le dit pas — cette réception enfumée lui guérit-elle son rhume.

Souriant, il décida « de ne point parler d'affaire »...

Deux ans et demi plus tard, on en reparlera et, le 12 juillet 1542, le roi lancera contre l'empereur le « cry de guerre » publié à son de trompe dans tout le royaume. Mais des rives de la Loire on n'entendra que le cliquetis des armures...

François boude un peu le sourire de la Touraine. Il préfère l'Ile-de-France où il séjourne longuement, mais les bords de la Loire reverront encore passer plusieurs fois le long cortège de la cour ambulante suivant son roi qui essaie de fuir son terrible mal. Sans doute entre deux bains chauds, deux cataplasmes, deux opérations, les fêtes et les chasses reprendront... mais François n'est plus qu'une ombre.

— Le vieux galant s'en va ! criait le duc François de Guise.

La mort l'atteindra, non à Chambord, dans ce cadre qui eût si bien convenu au dernier soupir du roi chevalier, mais à Rambouillet. L'autopsie révéla des *rognons gâtés*. Le roi — contrairement à la légende — ne mourut pas du mal de Naples dont il était atteint, mais — le docteur Cabanès l'a prouvé — d'une fistule tuberculeuse... Ce qui n'est d'ailleurs pas plus agréable !

VII

HEURES D'AMOUR

On raconte que Ninon de Lenclos laissa soupirer à ses jolis genoux un adolescent durant plusieurs mois. Lorsque Ninon eut enfin succombé, le jeune homme osa lui demander pour quelle raison elle avait tant attendu pour lui accorder une faveur dont elle était habituellement plus prodigue.

— C'est, lui répondit-elle, que je voulais célébrer avec vous, ce matin, mon soixante-dixième anniversaire !

Diane de Poitiers, dame de Chenonceaux, veuve de Louis de Brézé et maîtresse du roi Henri II, présentait un cas analogue de jeunesse éternelle. « J'ai vu la duchesse de Valentinois à l'âge de soixante-dix ans, écrivait Brantôme, aussi belle de face, aussi fraîche et aussi aimable comme en l'âge de trente ans... Je vis cette dame six mois avant qu'elle mourût si belle encore que je ne sache cœur de rocher qui ne fût ému », et Brantôme de s'extasier longuement sur ce *visage bien composé* et ce corps *de bonne trempe et de belle habitude.*

Lorsque, au début de 1537, le futur roi Henri avait rencontré Diane, veuve de Louis de Brézé, il avait dix-huit ans et sa future maîtresse trente-huit. Elle en paraissait vingt ! Marot dans ses *Etrennes* de 1538, écrivait :

> *Que voulez-vous Diane bonne*
> *Que vous donne ?*
> *Vous n'eustes que j'entends*
> *Jamais tant d'heur au printemps*
> *Qu'en automne.*

Sans doute faut-il se méfier des poètes. Sans doute encore la fameuse Diane chasseresse du château de Chenonceaux, présente à tous les esprits, n'est-elle qu'une allégorie. Mais le portrait de Diane dans son bain, dû à François Clouet, peut être considéré comme un document sérieux. Le visage est d'une beauté froide et sévère, le nez un peu trop long, le menton un peu trop large, mais le modèle semble avoir vingt-cinq ans... Or la duchesse de Valentinois avait alors largement dépassé la quarantaine.

Par ailleurs, il faut, je crois, considérer comme calomnie les vers latins de Jean Voulté qui parlent de *tête grisonnante,* de *dents branlantes* et de *peau flasque.* Il est seul de son avis. Dix portraits, dix statues, ont été inspirées par la célèbre duchesse et nous prouvent que Diane était belle. Quoi qu'il en soit Henri l'aima dès qu'il la vit et l'aimera jusqu'à son dernier souffle. « *Je vous supplie,* lui écrira-t-il en 1558 — elle a cinquante-neuf ans — *avoir toujours souvenance de celui qui n'a jamais aimé et n'aimera jamais que vous.* »

Henri et Diane ont soigneusement caché leurs amours et ce secret, ainsi que l'a fort bien dit Jean Héritier, favorise l'imagination du romancier et désespère les historiens. Cette absence de documents permit à Victor Hugo de s'en donner à cœur joie... et la légende mélodramatique de Diane de Poitiers se donnant à François Ier pour sauver son père de l'échafaud est une extravagance crue encore dur comme fer par bien des gens. Henri II — le fait est certain — ne succéda pas à son père dans le lit de Diane.

Par réaction contre les inventions de certains, des historiens pudibonds, se basant sur la pauvreté des textes originaux, ont essayé de prouver que Mme de Valentinois n'avait eu pour son royal ami qu'une affection toute naturelle... Comment expliquer le véritable esclavage du roi complètement dominé par la belle Diane ? Comment expliquer son éclatante faveur, les dotations, les cadeaux, les mariages princiers de ses filles ? Enfin pour quel motif — si Henri et Diane ne sont que des camarades — le budget personnel de la duchesse de Valentinois fut-il plus élevé que celui de la reine ?

Il y a encore l'attitude de Catherine de Médicis qui nous prouve la réalité de la liaison royale.

Henri et Catherine s'étaient mariés en 1533. S'il faut en croire une dépêche d'un ambassadeur milanais, François Ier mit lui-même les mariés au lit *les voulant voir jouter* et *chacun d'eux fut vaillant à la joute*, constate le diplomate. Il faut préciser qu'il s'agissait presque là de jeux d'enfants car les jeunes époux étaient alors l'un et l'autre âgés de quatorze ans. Cette fougue précoce qui avait, paraît-il, enchanté l'oncle de la mariée, le pape Clément VII, fut stérile. Dix ans après le mariage, Catherine n'avait toujours pas d'enfant. Henri se lassait, restait des journées entières auprès de sa maîtresse. Mais Diane — très maternelle cette fois — obligea le récalcitrant à prendre le chemin de la chambre de sa femme. Il avait un certain mérite : Catherine n'était pas belle, *la bouche trop grande,* nous dit un ambassadeur, *les yeux gros et blancs.* Certains prétendaient même qu'elle était tout le portrait du pape Léon X. Avoir vingt ans et ressembler au Saint-Père n'est pas un compliment. Cependant, les « visites » de Henri II finirent par porter leurs fruits. Catherine rattrapa le temps perdu. De 1544 à 1556 elle mettra dix enfants au monde et la reine, qui devait ce résultat à Diane, lui montra une certaine reconnaissance. Tel est le simple secret de ce « ménage à trois » que certains historiens se sont complu à décrire évoluant de Blois à Amboise.

— Je faisais bonne chère à Mme de Valentinois, reconnaissait la reine un jour, mais elle ajoutait : encore je lui faisais toujours connaître que c'était à mon très grand regret, car jamais femme qui aima son mari n'aima sa p...

Nous sommes au XVIe siècle !... Catherine n'a pas peur du mot et le lancera hardiment en plein visage de sa rivale.

— Que lisez-vous, Madame ? lui demandera Diane un soir.

— Je lis les histoires de ce royaume, lui répondit la reine en souriant aimablement ; et j'y trouve que de tous les temps les p... ont dirigé les affaires des rois !

Ces gracieusetés n'empêchaient nullement Diane d'inviter la reine à séjourner à Chenonceaux, demeure royale appartenant à la duchesse, pas plus qu'elles n'empêchaient Catherine d'accepter les invitations de la maîtresse de son mari.

En 1535, la magnifique demeure de Bohier avait été cédée à François Ier pour payer les dettes que le général des finances Thomas Bohier devait à la couronne. Henri, devenu roi, offrit Chenonceaux à Diane. *En considération,* disaient sans la moindre ironie les lettres patentes, *des grands et recommandables services rendus au roi par son feu mari Louis de Brézé.*

La reine s'était déclarée contre la validité de cette dotation. Selon elle — et non sans raisons — Chenonceaux appartenait à la couronne et Diane pouvait être tout au plus considérée comme la locataire du domaine. Aussi la vieille duchesse imagina-t-elle toute une procédure destinée à annuler l'opération de 1535. Antoine Bohier, fils de Thomas, redevint bien malgré lui possesseur du château ; on le somma alors de payer les dettes de son père ; il refusa et l'on mit ses biens en adjudication. Diane, le 8 juin 1555, après un semblant de vente, se rendit alors adjudicatrice de Chenonceaux, pour la somme de cinquante mille livres. La procédure qui usa une montagne de papier, dura jusqu'à 1559, ce qui n'avait nullement empêché Diane, durant ces quatre années, de se considérer comme propriétaire et de faire construire le pont enjambant le Cher.

C'est particulièrement le parterre de Chenonceaux qui devait passionner la duchesse. Connaissant son goût pour les fleurs, les propriétaires des plus beaux jardins de Touraine se hâtèrent de faire parvenir à la favorite royale leurs Trésors. L'archevêque de Tours et son vicaire général envoyèrent des arbres fruitiers, tandis que des melons et des artichauts — rareté pour l'époque — étaient expédiés de tous les coins du Val de Loire.

Lorsqu'on épluche les comptes de ce fameux jardin ou lorsqu'on lit les descriptions du temps, on demeure quelque peu étonné de la pauvreté de cette prétendue merveille. Il faut préciser que les lis persans et l'orme ne viendront en France qu'à la fin du XVIe siècle, que les marronniers d'Inde, les acacias et les tulipes ne seront acclimatés chez nous qu'au XVIIe qui nous apportera également le réséda égyptien et le rosier de Bengale ; enfin, c'est seulement au siècle dernier que l'Inde nous enverra ses chrysanthèmes.

Les travaux de jardinage de Diane sont interrompus au début du mois de juillet 1559 par le coup de lance mortel de Montgomery. Dix jours après le fatal tournoi, le roi rendait le dernier soupir.

Catherine exigea aussitôt le château de Chenonceaux. Diane résista, soutenue par les Guises et surtout par Montmorency avec qui, nous dit un diplomate du temps, elle était *comme chair et ongle.* En dépit de cette intimité, la vieille duchesse dut s'incliner et rendre Chenonceaux où l'on achevait le pont. En échange, la reine mère offrait à son ex-rivale le château de Chaumont qu'elle avait acheté neuf ans auparavant à Charles-Antoine de La Rochefoucauld pour la somme de cent vingt mille livres. Catherine y avait résidé quelques rares fois... La demeure était surtout la résidence de l'astrologue Ruggieri qui — du moins on l'affirme — poursuivait ses expériences et ses recherches dans une haute chambre du château.

C'est là, qu'un soir de 1550, à l'heure où la lune se lève derrière les bois, se déroula la fameuse fantasmagorie de Chaumont. Ruggieri montra à Catherine son fils François qu'il venait de faire appparaître dans un miroir magique.

— Il fera autant de tour sur lui-même qu'il a encore d'années à vivre, annonça-t-il.

Et le roi François, après avoir fait un seul tour, disparut aux yeux horrifiés de Madame Catherine qui tomba évanouie. Elle revint à elle pour voir le successeur de François, le futur Charles IX effectuer treize tours. Anjou, qui serait un jour Henri III, roi de France et de Pologne, tourna quinze fois et laissa sa place à Henri de Bourbon.

Ainsi, s'il fallait en croire son astrologue — et elle le croyait toujours — la race des Valois Angoulême s'éteindrait... et Catherine quitta Chaumont pour ne plus jamais y revenir.

Ruggieri dut plier bagages et laisser la place à la nouvelle maîtresse de céans. Diane ne se pressait d'ailleurs guère pour aller occuper les lieux. Abandonner le doux et suave Chenonceaux pour cette demeure presque féodale de Chaumont ne lui souriait qu'à demi. En voyant ce puissant logis ceint d'une courtine, surmonté d'un chemin de ronde, couronné de créneaux et de mâchicoulis, cette cour close de toutes parts, elle n'en regretta que davantage son château sur le Cher tout éclatant de blancheur dans sa robe en pierre de bourry.

Combien Diane regrettera de ne plus entendre de son lit le doux murmure du Cher enlaçant les piles du nouveau pont ! De chagrin elle préféra quitter les bords de la Loire et c'est bien rarement qu'elle occupera sa chambre que l'on voit dans la tour d'entrée de Chaumont. Elle s'en alla mourir en son château d'Anet, temple digne de sa beauté et tout décoré de Dianes chasseresses, de Dianes au bain et de Dianes poursuivies.

VIII

L'HEURE DU BOURREAU

C'EST seulement le 9 mars 1560 que Catherine de Médicis, tout de noir vêtue, arrive à Chenonceaux. Elle est accompagnée de la nouvelle reine, la jolie Marie Stuart.

Contentez-vous mes yeux !
soupirait Du Bellay,
Vous ne verrez jamais une chose plus belle.

La petite Marie n'a que quinze ans et sa beauté, proclame Brantôme, commence *à paroistre comme la lumière en plein midi.* Elle est mariée depuis deux ans avec celui qui, depuis le coup de lance de Montgomery, porte le nom de François II.

Cependant la jeune reine semble lasse. Elle s'évanouit sous le plus vague des prétextes. Les chroniqueurs appellent la maladie de la petite reine la *pâle couleur.* D'où vient ce mal ? Certains prétendent que le roi — il a cependant seize ans — n'a pas encore réussi à rendre femme son épouse. *Il a les parties génératrices constipées,* nous dit crûment un chroniqueur. Aujourd'hui il n'est pas à Chenonceaux ; il chasse près d'Amboise. Il se tue à la chasse, se donnant ainsi l'illusion de la virilité. Cet adolescent bouffi et boutonneux qu'est qu'un pauvre malade. Un abcès permanent suinte derrière son oreille.

Tandis que le roi crève ses chevaux et fatigue ses chiens, Catherine et Marie visitent le domaine. La reine mère a des projets : faire couvrir le pont construit par Diane d'une galerie à double étage. Sur la rive gauche on élèvera un vaste salon ovale ou même un château semblable à celui qui dresse ses tourelles sur la rive droite.

Le roi chasse ; la reine Catherine fait des projets d'avenir ; la petite Marie soupire, pâlit, s'évanouit... Et pendant ce temps, toute la Touraine grouille de petits groupes d'hommes armés qui se dirigent vers Amboise afin de massacrer les Guises et rendre au petit roi une indépendance et une puissance dont le chétif roitelet n'aurait d'ailleurs su que faire.

C'est la fameuse conspiration d'Amboise !

Depuis le malheureux tournoi des Tournelles, le vieux connétable de Montmorency et les Bourbons ne sont plus rien. Seuls, les Guises, oncles de Marie Stuart, règnent. L'inévitable transmission de pouvoir s'est d'ailleurs accomplie avec courtoisie. Montmorency s'est incliné. Les Bourbons — le roi de Navarre, le prince de La Roche-sur-Yon, le prince de Condé — se sont trouvés un peu ridicules dans leur rôle de premiers princes de sang tout juste bons à porter la traîne du roi ou à se rendre en ambassade à l'étranger. Ils boudent la cour. Quant au nouveau maître François de Lorraine, duc de Guise, qui a vaincu Charles Quint à Metz, il trouve tout naturel de gouverner. François II n'est-il pas son neveu ? Par ailleurs ne domine-t-il pas nettement tous les hommes de son temps tel un *gran et épais chesne* régnant sur une forêt de broussailles ? Tout de cramoisi vêtu —

car il aime le rouge et l'incarnat, nous dit Brantôme — il bondissait à l'assaut comme le dernier des lansquenets, n'épargnant ni sa vie ni sa peau. Il allait *toujours guerroyant à face découverte* et c'est ainsi qu'à Boulogne il avait reçu un méchant coup de lance au-dessus de l'œil droit. L'arme avait *décliné vers le nez* et passé entre la nuque et l'oreille avec une telle violence qu'elle s'était brisée *dans la tête où elle avait pénétré à plus d'un demi-pied,* ce qui n'empêcha nullement le duc de continuer à se battre, le morceau de lance planté dans le front. En rentrant au camp, le chirurgien Amboise Paré demanda respectueusement à François de Lorraine : *s'il ne trouverait pas malséant qu'il lui posât le pied sur le visage ?*

— Je consens à tout, répondit Guise. Travaillez !

Le chirurgien s'empara alors des tenailles d'un maréchal-ferrant et s'arc-boutant du pied sur la tête du patient arracha le morceau de lance de la blessure... L'opération, nous dit un témoin, se fit avec *fracture d'os, de veines et d'artères.*

Nous voulons bien le croire ! Le duc, contre toute attente, guérit rapidement et il ne lui resta de l'opération qu'une terrible cicatrice et le surnom du *Balafré.*

Mais François de Lorraine n'est pas seulement un reître, *morion en tête et la targue d'acier au bras,* Montluc l'estime *si plein de jugement à savoir prendre son parti qu'après son opinion il ne fallait pas penser en trouver une meilleure.*

Son frère le cardinal de Lorraine lui est cependant supérieur en intelligence. Le prélat est surtout un maître en duplicité. *Il a l'habitude,* précisera l'ambassadeur de Venise, *de ne dire presque jamais ce qui est.* Il est ainsi parvenu à se faire cordialement détester par tous les Français et, *dans tout le royaume, on ne désire que sa mort.*

TABLEAU SIMPLIFIÉ DE LA MAISON DE GUISE

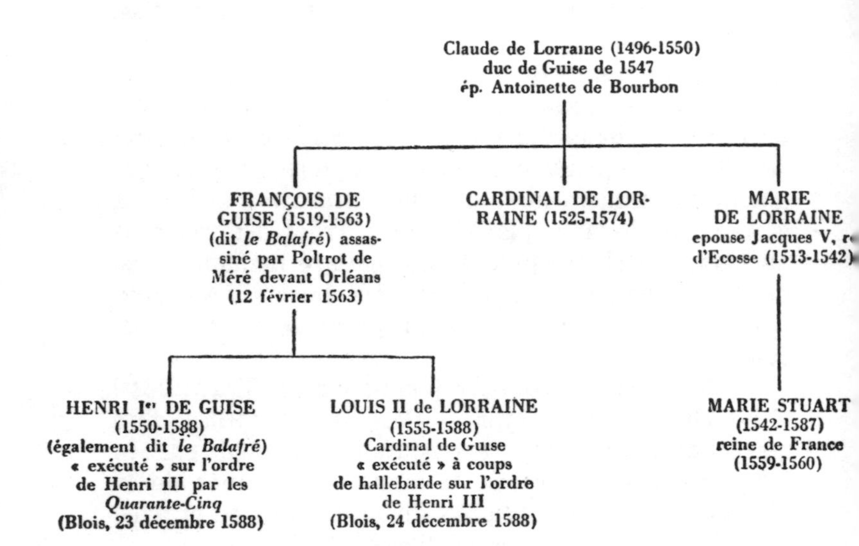

C'est contre ces deux hommes que les protestants de France sous la conduite de La Renaudie marchent en cette fin d'hiver 1559. Venus de tous les coins de France, par petits groupes, ils convergent vers la Loire. Le chef occulte — celui qui ne se dévoilera qu'en cas de succès et qui, bien entendu, abandonnera les Conjurés si tout doit se découvrir — est le prince de Condé. Plus tard, les panégyristes de la famille des Bourbons essaieront de camoufler la veulerie du personnage comme Louis de Condé essayant de dissimuler sa bosse en relevant la tête et de cacher sa misère en menant un train fastueux. Le futur chef des huguenots n'a qu'une seule excuse : sa pauvreté.

Sa pension est de sept à huit fois inférieure à celle accordée aux privilégiés de la cour !... Tandis que les

Guises — qui ne sont point du sang de France — mènent un train royal, il vit d'expédients. Aussi tout naturellement, l'idée de renverser les princes lorrains était-elle venue à l'esprit de Condé afin de prendre leur place.

Son raisonnement était limpide : François II ne peut encore gouverner par lui-même ; seuls les princes du sang ont le droit de diriger la France en son nom, or les Guises, que l'intrigue a portés à la première place, sont à demi étrangers ; ils doivent donc s'effacer. Qui les balayera ? Fort à propos La Renaudie était venu offrir ses services et avait aussitôt été accepté. Devenu l'âme de la Conjuration, il sut réchauffer les enthousiasmes et recruter les hommes. La Renaudie a cependant une détestable réputation. Calvin, lui-même, ne le portait point dans son cœur. Il le considérait comme un *homme plein de vanité et d'outrecuidance famélique*. Bref comme un *meneur imprudent*. Le portrait n'est-il pas quelque peu excessif ? Le duc de Guise semble plus objectif lorsqu'il dira du fameux conjurateur :

— C'est un homme de belle vie, de bonne chère et de grande intelligence, mais qui a toujours été mal employé et qui manque de jugement.

Quoi qu'il en soit, La Renaudie n'était pas seulement beau parleur, c'était aussi un organisateur et sa conjuration manqua de peu de réussir. En principe, chaque église réformée devait *envoyer gens soldoyer de la part où serait le Roy*. François II se trouvait à Blois et bientôt, de toutes les régions de France, les hommes se dirigent vers la Loire. On reste cependant surpris : comment ce rassemblement, ces cinq cents chevaux, ces caisses d'armes purent-ils être acheminés vers Blois sans éveiller l'attention ? François II accusera plus tard plusieurs villes — en dépit de leurs dénégations — d'avoir fourni aux assaillants *armes, vivres et beaucoup de commodités.*

L'attaque du château de Blois *sans Condé,* suivie du coup d'Etat *avec Condé,* est fixée pour le 10 mars 1560. Pour La Renaudie, le problème, ainsi que l'a écrit Lucien Romier, est de tirer une armée de la cohue qui se presse sur les chemins aboutissant à la Loire. Un certain nombre de magasins sont aménagés et des émissaires sillonnent la région afin de concentrer les hommes. Mais subitement, la cour décide de quitter Blois pour Amboise. Ce changement va désorganiser tous les projets et faire échouer l'affaire.

Que s'était-il donc passé ?

Sans doute la cour se trouvait-elle alors à Blois, mais le roi, les reines et les Guises s'étaient installés — entassés serait plus juste — à Marchenoir. Il y avait là un donjon du XIIIe siècle — il n'en existe plus que des ruines — qui n'avait qu'un médiocre intérêt, mais le bourg se trouvait à quelques centaines de mètres de la giboyeuse Forêt Longue (1) et François y chassait comme un forcené. Un matin le secrétaire du duc de Guise présenta à son seigneur un certain maître Pierre des Avenelles qui venait d'arriver de Paris. Cet avocat au Parlement tenait une maison garnie située en plein faubourg Saint-Germain. En sa qualité de logeur, il avait hébergé La Renaudie. Les allées et venues de son hôte, les visites qu'il recevait, lui avaient fait deviner qu'il se *brassoit* quelque chose. L'avocat-hôtelier était protestant et La Renaudie, par crainte d'être jeté à la rue, avait préféré lui dévoiler une partie du complot. Epouvanté, Pierre des Avenelles s'était empressé d'aller avertir le secrétaire du duc de Guise. La cour, selon l'avocat, devait être attaquée le 5 ou le 6 mars.

Cette dénonciation eut pour principal résultat

(1) Cette forêt, qui avait joué le rôle que l'on sait durant la guerre de Cent Ans, est aujourd'hui la forêt de Marchenoir.

d'interrompre les massacres cynégétiques du roi François et de rassembler famille royale, cour, conseil et gardes à Amboise qui était alors considéré comme une forteresse quasi imprenable.

Du 22 février, jour de l'entrée à Amboise, au 15 mars, toute la cour vécut dans l'angoisse. *La terreur était aussi grande que s'il y avait eu une armée aux portes*, raconte l'ambassadeur d'Espagne, fort ennuyé d'ailleurs de se trouver là. On arma jusqu'aux marmitons des cuisines, le cardinal de Lorraine revêtit une cotte de mailles sous sa robe, des patrouilles sillonnèrent les environs, le château fut mis en état de défense, les gentilshommes couchèrent tout habillés et l'on attendit... Le 5 passa, puis le 6 et l'on ne vit pas l'ombre d'un conjuré. Le 7 on crut que l'avocat-hôtelier avait eu des visions. Cependant le Conseil du roi se réunit le 8 et trouve adroit, à tout hasard, de faire signer à François II un édit établissant le pardon général et la tolérance en faveur des hérétiques.

— Le roi, expliquait le cardinal de Lorraine, aime mieux qu'au Carême l'on mange du poisson que de la viande ; mais qui voudra manger de la viande il ne l'empêchera pas !

C'était là rabaisser la question. Les projets de La Renaudie visaient plus haut. Pourtant la cour se félicitait ; cet édit d'Amboise allait certainement apaiser les esprits ! Ces Messieurs du Conseil en furent à tel point persuadés que, le 8, ils laissèrent le roi partir pour la chasse et les reines se rendre à Chenonceaux.

Lorsque le 11, dans l'après-midi, les dames reviennent à Amboise, c'est pour apprendre que des patrouilles royales ont ramassé, dans les forêts du Blésois et dans les bois de Touraine, des groupes de gentilshommes huguenots *mal sentant et mal vivant munis de forces armes et pistoles*. On les amène à

Amboise *à douzaine et à vingtaine* où ils sont aussitôt interrogés. La torture aidant, on s'aperçoit que l'affaire que l'on croyait terminée n'est même pas encore commencée !... Un second traître huguenot — un capitaine nommé Lignières — vient avertir les Guises que la rébellion doit se déclarer le 15, et, pour la première fois, le nom du prince de Condé est prononcé...

Les remparts d'Amboise se hérissent à nouveau d'hommes d'armes, le corps diplomatique se retrouve dans une ville assiégée et une *terreur panique* — l'expression est de l'ambassadeur d'Angleterre — empoigne *ces capitaines qui en d'autres temps n'avaient pas été effrayés par des grandes armées de cavaliers, de gens de pieds et par la furie des canons.* Cette sourde et invisible menace, cette masse d'hommes qui de tous les points du royaume converge vers le château, met les nerfs à rude épreuve.

Comment les conjurés donneront-ils l'assaut ? Quels appuis possèdent-ils dans le château même ? Sur quelle route apparaîtront-ils ? Les guerriers écarquillent les yeux. Les rives de la Loire que l'on voit jusqu'aux clochers de Tours paraissent étonnamment calmes. Rien ne bouge !

Cependant, le 14 au soir, M. de Sancerre, gouverneur de Tours, fait parvenir un rapport alarmant. Ce même soir, il s'était rendu au faubourg Le Riche où lui avait été signalée la présence de gens de guerre. Il avait trouvé là son ami, le baron de Castelneau, vêtu d'une cuirasse et armé jusqu'aux dents. Castelneau était, en effet, l'un des chefs de la conspiration et s'apprêtait à partir pour le château de Noisay où La Renaudie devait le rejoindre. Sancerre voulut arrêter Castelneau, mais étant à peu près seul, se retira et se contenta de traverser la ville en criant :

— Force, force pour le roi !

Les Tourangeaux qui l'entendirent se gardèrent bien de se montrer. Seul, un boulanger apparut sur le pas de sa porte, mais, effrayé en voyant le gouverneur accourir à toutes jambes, il se hâta de s'enfermer à double tour dans sa maison.

Les Guises, recevant le message de Sancerre, forment un corps de trois cents chevaux qui descend le fleuve sans rencontrer âme qui vive et au petit matin pénètre dans Tours.

Le maréchal de Saint-André qui commande le détachement trouve le peuple *tout obéissant et dévotionné au service du roi.* Ce n'est pas à Tours que devait en effet se jouer le premier acte du *Tumulte* d'Amboise, mais à Noisay (1).

Castelneau, croyant que La Renaudie va se porter à son secours, s'est enfermé dans la place où le duc de Nemours, venu d'Amboise avec trois cents autres cavaliers, n'a plus qu'à le cueillir. D'autres lieutenants de La Renaudie, tel Mazères et Raunay, sont pris sans aucune lutte.

Le lendemain, 16 mars, le second acte se lève sur l'arrivée au château d'Amboise des pages de la Vénerie qui, tout essoufflés, viennent annoncer que cinq oux six cents hommes se cachent dans un bois situé à une lieue du fleuve.

La troupe du maréchal de Saint-André étant revenue de Tours, le duc de Nemours se met à sa tête et pénètre dans le bois. Les rebelles, en voyant s'avancer cette importante cavalerie, se hâtent de s'enfuir en jetant leurs armes pour courir plus vite. Cinquante-six d'entre eux sont néanmoins capturés et conduits au château. Ils sont tout tremblants et se pressent, paraît-il, comme *moutons.* François II d'une fenêtre leur fait un petit discours. On leur donne à chacun un écu avec ordre de disparaître, mais trois ou quatre d'entre eux — les meneurs —

(1) Le château fut reconstruit à la fin du XVIe siècle.

sont néanmoins gardés. La chasse à l'homme continue durant tout l'après-midi. Sans cesse on amène dans la basse-cour du château de petits groupes de quinze à vingt hommes hébétés, lamentables *comme si c'était des enfants.* Interrogés, certains ont le courage de déclarer qu'ils voulaient *tuer les deux méchants,* autrement dit les Guises — et mettre le roi et sa mère dans une cage de fer.

— C'est une p... qui nous a fait un lépreux, explique l'un d'eux en parlant de Catherine et du pauvre roi.

Mais le dernier acte va noyer le *Tumulte* dans le sang.

Le 17, à l'aube, des bateliers aperçoivent sur la rive droite de la Loire deux cents cavaliers qui viennent de Blois. Ils donnent l'alarme, mais, avant que la garnison ait eu le temps de prendre les armes, la troupe commandée par Bertrand de Chaudlieu a pénétré dans les faubourgs, traversé le fleuve et atteint la porte des Bonshommes. Le duc de Guise organise la défense. Il réussit à former rapidement deux fortes compagnies composées de gentilshommes et de laquais et la bataille commence. Bien vite, les assaillants se voyant en infériorité déguerpissent et le plus grand nombre parvient à s'enfuir.

Le sang a coulé. Le château, demeure du roi, a été attaqué à main armée ! Il ne s'agit plus de faire grâce et de remettre aujourd'hui un écu aux prisonniers ! Aussi les patrouilles reprennent-elles leurs activités. La cueillette est fructueuse. Certains libérés de la veille et de l'avant-veille — sans rien comprendre à l'affaire — se voient ramenés à Amboise et jetés en prison. D'autres, réfugiés dans les granges, barricadés dans des villages, résistent désespérément.

Les interrogatoires dessillent les yeux de ceux qui ne voulaient pas comprendre.

— A qui êtes-vous ?

— Nous marchions sous la charge du prince de Condé !

Depuis la veille, le prince est arrivé au château. Quand il apprend les accusations dont il est l'objet, il le prend de haut.

— Je voudrais bien savoir quels sont mes accusateurs !

Il semble sûr de lui. En réalité, il tremble et, afin de donner le change, va jusqu'à participer à la défense d'Amboise. Peu à peu il reprend courage ; La Renaudie n'est pas pris et aucun fait précis ne peut encore être retenu contre lui.

Pendant ce temps, La Renaudie qui a appris la capitulation de Castelneau à Noisay erre dans la forêt de Château-Renault à la recherche de ses troupes que les hommes du roi ont dispersées comme une volée de moineaux. Il est suivi de son secrétaire La Bigne et d'un seul serviteur. Soudain, au détour d'un chemin, il tombe sur une forte patrouille royale commandée par l'un de ses parents, le sieur de Pardaillan. C'était jouer de malchance ! Pardaillan reconnaît aussitôt celui dont tout le monde parle depuis quinze jours et le met en joue. La Renaudie se précipite, tue Pardaillan de deux coups d'épée, mais, une seconde plus tard, un coup de pistolet le touche à mort.

On ramène à Amboise le cadavre qui, pour l'exemple, est pendu sur le pont de la Loire, tandis qu'on interroge La Bigne... et l'on sait ce que voulait dire à l'époque le mot *interroger !*

Condé est immédiatement compromis, mais le duc de Guise préfère fermer les yeux, du moins provisoirement.

— Pour rien au monde je ne veux parler de cela, déclare-t-il.

Le chétif François II a tout d'abord été épouvanté.

— Qu'ai-je donc fait à mon peuple ? demande-t-il, des sanglots dans la voix.

Mais bientôt la colère l'emporte. Il trépigne de rage et à la fin du dîner on le voit frapper la table de son maigre poing en hurlant de sa voix qui mue :

— Il y a des gens qui me courtisent et me trahissent. Mais un jour, s'il plaît à Dieu, je leur en ferai repentir !

Puis, tout en regardant Condé, il quitte la salle à grands pas. Condé qui joue de plus en plus à l'indignation, se redresse de toute sa petite taille et crie en parlant des conjurés :

— Il faut tous les pendre !

On suit ce conseil.

Une odeur de sang flotte sur tout le château. Les corbeaux décrivent de larges cercles autour des hauts toits d'ardoise.

Des pendus sèchent et se balancent au fameux balcon. On noie dans la Loire des fournées d'antiguisards !

Amboise est devenu la demeure du bourreau.

Le pauvre roi et sa tendre petite épouse doivent assister aux cent exécutions de gentilshommes qui se font à la hache. Du moins on l'affirme... Les femmes de la cour se pressent *comme s'il eût été question de voir quelques mômeries.* Les suppliciés montent à l'échafaud chantant en chœur le psaume de Clément Marot :

Dieu nous soit doux et favorable
Nous bénissant par sa bonté
Et de son visage adorable
Nous fasse luire la clarté.

Peu à peu, les voix s'amenuisent. Celle de Castelneau se fait entendre la dernière... Puis c'est un lourd silence. Il ne reste plus sur la place qu'un bourbier sanglant.

D'une fenêtre, Catherine, aussi blanche que sa collerette, regarde...

— Ah ! Madame, murmure à voix basse la duchesse de Guise, combien le sang appelle le sang !

Elle ne sait pas si bien dire !

La reine verra cette année même mourir son fils François ; Marie Stuart qui se tient à sa droite connaîtra un jour, elle aussi, le tranchant de la hache sur son col d'ivoire ; à une autre fenêtre se penche François de Guise qui dans quelques années mourra assassiné devant Orléans, François de Guise dont les deux fils, Henri et le cardinal Louis seront massacrés par Henri III. Quant au futur roi de France — le dernier Valois — qui connaîtra un jour le poignard de Jacques Clément il joue en ce moment dans une aile du château avec sa sœur bien-aimée Marguerite, dont le mari, Henri IV, recevra dans le cœur le couteau de Ravaillac. Il y a encore les autres enfants de Henri II : le futur Charles IX qui, dans ses draps rougis, mourra de la plus atroce des tuberculoses, l'hémorragie sous-cutanée, et le petit duc d'Alençon, demain duc d'Anjou qui s'éteindra poitrinaire à trente ans.

Ainsi le cercle sanglant se refermera.

Amboise n'est plus que puanteur et putréfaction ! Dans ce charnier, la cour reçoit encore l'ambassadeur du dey d'Alger qui ne se montre pas trop scandalisé... Son maître en commet bien d'autres ! Puis, le dernier jour de ce rouge mois de mars 1560, le roi et les reines prennent la route de Chenonceaux.

*
**

Après l'écœurante nausée, voici la bergerie parfumée....

Le roi est accueilli par les neuf cents ouvriers qui

ont achevé le pont. Ils tiennent d'une main un rameau *verd* attaché au bout d'une perche et de l'autre des *insignes* de taffetas noir et blanc. Les paysannes assises *au pié des ormeaux* ont la tête couverte *d'un grand et lourd chappeau à la rustique, épaillé et piollé de mille couleurs*. Le chemin conduisant au château est couvert de *jonchées vertes, de gros bouquets de violettes, de giroflées et autres fleurs décentes et convenables à illustrer et réjouir la venüe d'une si noble et haute compagnie.*

François II est accueilli par deux dames *la teste couronnée d'un tour de lierre, revestues à l'antique* et tenant *d'un fort bon geste,* l'une une trompe, *l'autre* une palme. Au même instant, une troisième dame qui s'était installée sur le balcon harangue le roi en ces termes :

Roi des Françoys, du ciel où ton père demeure
Pallas suis descendue afin de te monstrer
Ce lieu champestre icy que je fais racoustrer
Pour te servir un jour de royale demeure.

En achevant, poursuit le chroniqueur, *elle laissa tomber sur le roi et sa compagnie grandes quantités de chappeaux, guirlandes et bouquets de fleurs.*

Il fallait bien cela pour oublier le cauchemar !

Mais après les fleurs, les légumes ! A Tours, le roi et la reine reçoivent sur la tête laitues, asperges, petits pois et artichauts !

Marie Stuart, heureuse, savoure ces semaines de bonheur en *son Touraine* à qui elle pensera si souvent lorsqu'elle sera retournée dans ses brumes écossaises...

Le roi semble pris d'une véritable fureur de course.

Cette première et dernière année de son règne, on le voit à la Bourdaisière, à Marmoutier, à Chenonceaux, à Blois, à Montbazon, à Chinon, à Champagne, à Loches, à Beaulieu, à Romorantin, à Amboise, à Marchenoir, à Châteaudun... Il quittera les bords de la Loire et, à la fin du mois de juillet, s'installera à Fontainebleau pour en repartir au début de septembre pour Saint-Germain. Le 18 octobre, la cour entre à Orléans où doivent se tenir les Etats généraux et le roi s'installe à l'hôtel du bailli Jacques Groslot. La belle demeure en brique et pierre (1) venait d'être construite par le fameux architecte Du Cerceau.

C'est là que, le 31 octobre au soir, le roi *très sec et fort en colère* fit enfin arrêter Condé en dépit des supplications de ses frères, le cardinal de Bourbon et le roi de Navarre. Le petit Condé avait récidivé et l'arrestation de son courrier avait prouvé que le bossu préparait une nouvelle conspiration. Bien plus, des missives chiffrées attestaient que le prince s'était abouché avec les protestants allemands. L'affaire semblait avoir été conçue avec plus d'envergure que le malheureux complot de La Renaudie.

Tandis qu'entre deux interrogatoires, Condé se morfond dans sa prison voisine du couvent des Jacobins, le roi se plaint de violentes douleurs de tête. Le 7 novembre, son abcès coule plus que de coutume. Les médecins croient tout d'abord à un refroidissement. La Loire est gelée et François a commis l'imprudence de jouer à la paume assez légèrement vêtu. Le dimanche 17, il vomit son dîner. Les médecins entrent aussitôt en lice : purgatifs et décoctions de rhubarbe sont donnés avec abondance. L'abcès ne tarit pas et les migraines deviennent intolérables.

Au cours de la semaine qui suit, l'écoulement s'arrête par deux fois, mais les douleurs sont alors telles, la fièvre si forte, qu'après avoir tout fait pour tarir le mal on fit tout pour le faire reprendre.

Le dimanche 30, le petit roi gémit à fendre l'âme, réclamant sans cesse à boire. La mastoïdite lui arra-

(1) C'est l'hôtel de ville depuis le XVIIIe siècle. Malheureusement, la maison a été restaurée sans grand respect et a été agrandie de deux ailes sous Napoléon III.

che des cris que l'on entend jusque dans la rue. Personne n'ose parler de trépanation et l'agonie se prolonge jusqu'au 5. Ce jour-là, à midi, on lui administre l'extrême-onction et, vers le soir, François II expire au milieu d'atroces souffrances.

Marie Stuart n'est plus reine de France. Elle n'est plus que la reine blanche, toute vêtue de ses voiles blancs de deuil.

Un crespe long, subtile et délié
Ply contre ply retors et replié
Depuis le chef jusques à la ceinture

Catherine réunit le Conseil. Le nouveau roi de France a dix ans et se nomme Charles IX. Aux côtés de la reine mère se tient un autre enfant, le futur Henri III. Catherine annonce qu'elle prend le pouvoir. La situation n'est guère brillante, il y a quarante-cinq millions de dettes, néanmoins Antoine de Bourbon, roi de Navarre, se montre jaloux et prend mal la déclaration. Au moins voudrait-il être nommé officiellement régent suppléant. Si Catherine tombe malade, la présidence du Conseil royal ne devra-t-elle pas lui revenir ?

Malade, Catherine ? Elle ne le sera que pour mourir !

IX

LES HEURES ROUGES

PRINTEMPS 1562 !

La Loire entre ses bancs de sable argent n'est plus qu'un long fleuve de sang ! Dans toutes les villes, dans tous les bourgs, au pied de tous les châteaux, on assomme, on viole, on massacre et l'on noie... L'atroce conflit, qui va se prolonger jusqu'au *Paris vaut bien une messe* de Henri IV, est commencé.

Trente-six années de tueries !

Le feu qui couvait sous la cendre depuis le tumulte d'Amboise s'est rallumé le 1er mars 1562 par le massacre de Vassy. Le duc de Guise s'était arrêté dans la petite cité de Vassy pour entendre la messe. Soudain, on vint le prévenir que deux cents réformés, *gens scandaleux, arrogants et forts,* osaient célébrer leur prêche dans une grange voisine. Dans l'esprit de François de Guise, il ne pouvait s'agir que d'une provocation et, à grands pas, il se dirigea vers la grange. Deux de ses gentilshommes avaient pris les devants. Les protestants les accueillirent avec courtoisie :

— Messieurs, s'il vous plaît, prenez place !

— Mort Dieu ! Il faut tout tuer ! répondirent-ils, prenant l'invitation pour une insulte.

Lorsque le duc arriva, il trouva ses deux gentilshommes jetés à la porte et les protestants en train de se barricader dans la grange.

La bataille s'engagea. Les réformés lançaient des pierres et les guisards répondaient par des coups d'arquebuse. Puis lorsque la porte de la grange fut enfoncée, le massacre commença...

Sur son lit de mort, le duc de Guise parlera avec inconscience de *l'inconvénient advenu à ceux de Vassy*. Sans doute le mot avait-il alors un sens plus fort... mais « l'inconvénient » n'en causa pas moins la mort de soixante-treize protestants et fit cent quatorze blessés. Les hommes de François, qui n'avaient qu'un mort et quelques contusions, célébrèrent le « massacre » comme s'il s'agissait d'une grande victoire. Le connétable de Montmorency qui, avec Guise et le maréchal de Saint-André — les *Triumvirs* — était maître du royaume, accueillit le duc François comme un héros.

Condé que la mort de François II avait sorti de prison, se met, officiellement cette fois, à la tête des protestants et commence à recruter des hommes. Le 2 avril, avec deux mille cinq cents cavaliers, il prend Orléans « au galop », tout en déclarant que les réformés ne portaient les armes que pour obtenir la paix religieuse et délivrer le petit roi Charles des mains des Triumvirs.

Le 12, les catholiques répondent par le massacre de Sens orchestré par un moine jacobin « qui sonne le premier coup de trompette ». Les cadavres charriés par la Seine passent jusque sous les ponts de Paris.

Condé réplique en occupant, sans coup férir, Angers, Tours et Blois. Massacres et viols se succèdent. Les protestants ne peuvent rencontrer une église sur leur chemin sans enfoncer le portail, briser crucifix et statues. Les reliques de Saint-Gatien et de Saint-Martin de Tours sont jetées au vent. Les iconoclastes taillent ensuite des pourpoints dans les chasubles et envoient à la fonderie calices et ciboires. Ils vont jusqu'à profaner les tombeaux. A Orléans le cœur du pauvre François II est brûlé et à Cléry les restes de Louis XI sont jetés au vent.

Epouvantée, Catherine de Médicis, désireuse d'arrêter cette folie, rencontre Condé à plusieurs reprises à Toury, puis, les 27, 28 et 29 juin, elle lui donne rendez-vous à l'abbaye de Saint-Simon près de Talcy, petit village du Blésois (1). Face à face, les deux armées attendent... mais bientôt le bruit se répand qu'un accord est impossible. Quels furent les responsables de l'échec ? On ne sait ! Témoins ou historiens catholiques, protestants, bourboniens et guisards, selon leurs préférences, ont passablement embroussaillé la question et il est bien difficile aujourd'hui d'y voir clair. Il semble que l'on eut un moment l'espérance que Condé et les Triumvirs s'éloigneraient chacun de son côté. François de Guise, Montmorency et Saint-André quittèrent même l'armée, mais Condé, sans doute poussé par Coligny et ses compagnons, ne tint pas sa promesse.

Quelques jours plus tard, tout au début du mois

(1) Le château de Talcy où séjournèrent Catherine, le jeune Charles IX et le roi de Navarre existe toujours et appartient aujourd'hui à l'Etat. C'est une belle demeure datant du XVIe siècle mais remaniée au début du règne de François Ier par Bernard Salviati, père de Cassandre que chanta Ronsard et grand-père de Diane qui fut aimée par Agrippa d'Aubigné. L'extérieur du château est d'une sobriété et d'une sévérité imposantes. Il contraste avec la cour intérieure dont les pignons à crochets et les arcades à anse de panier sont pleins de charme.

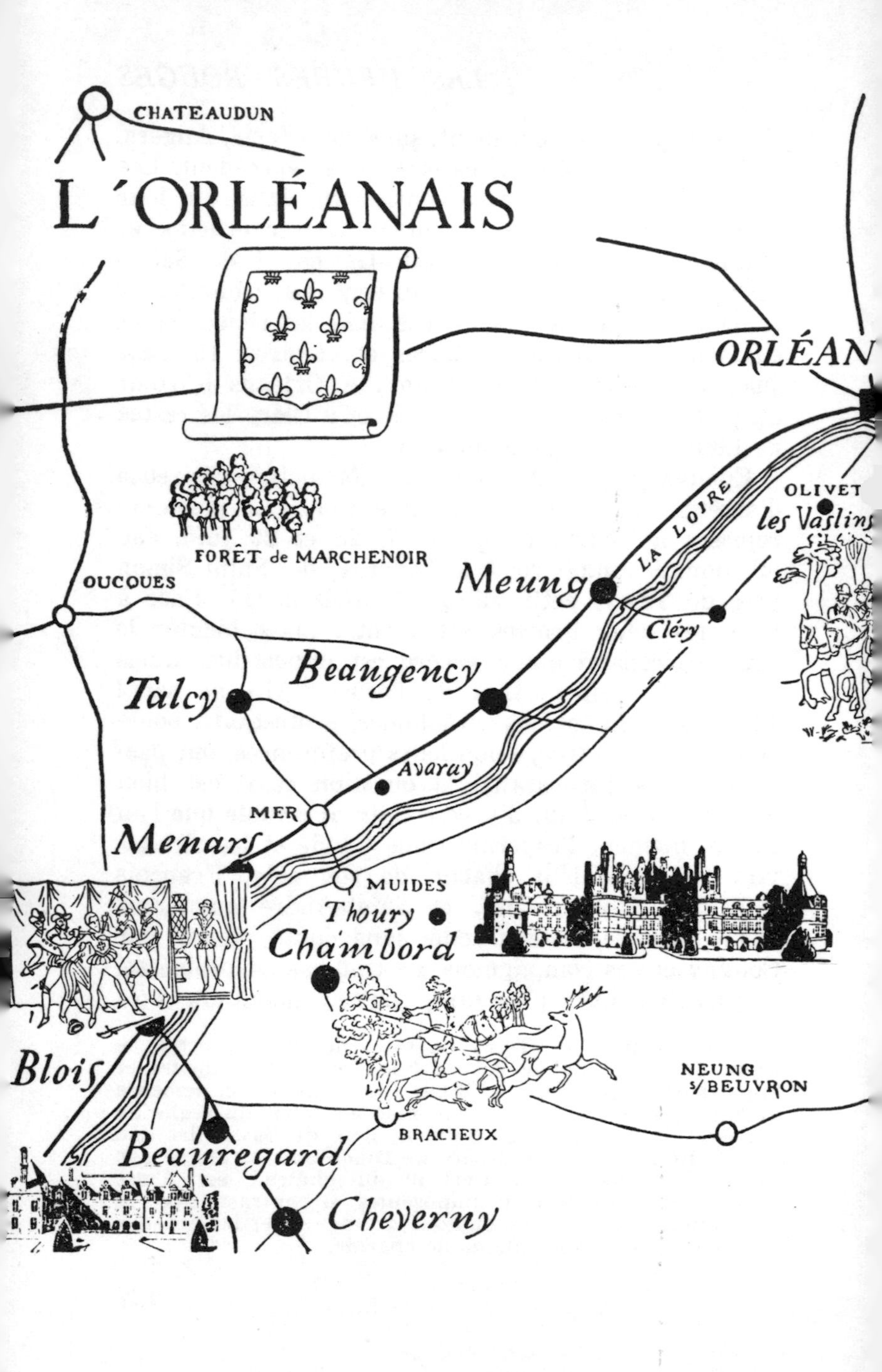

CHATEAUDUN
L'ORLÉANAIS
ORLÉAN
FORÊT de MARCHENOIR
OUCQUES
LA LOIRE
OLIVET
les Vaslins
Meung
Cléry
Beaugency
Talcy
Avaray
MER
Menars
MUIDES
Thoury
Chambord
Blois
NEUNG
s/BEUVRON
BRACIEUX
Beauregard
Cheverny

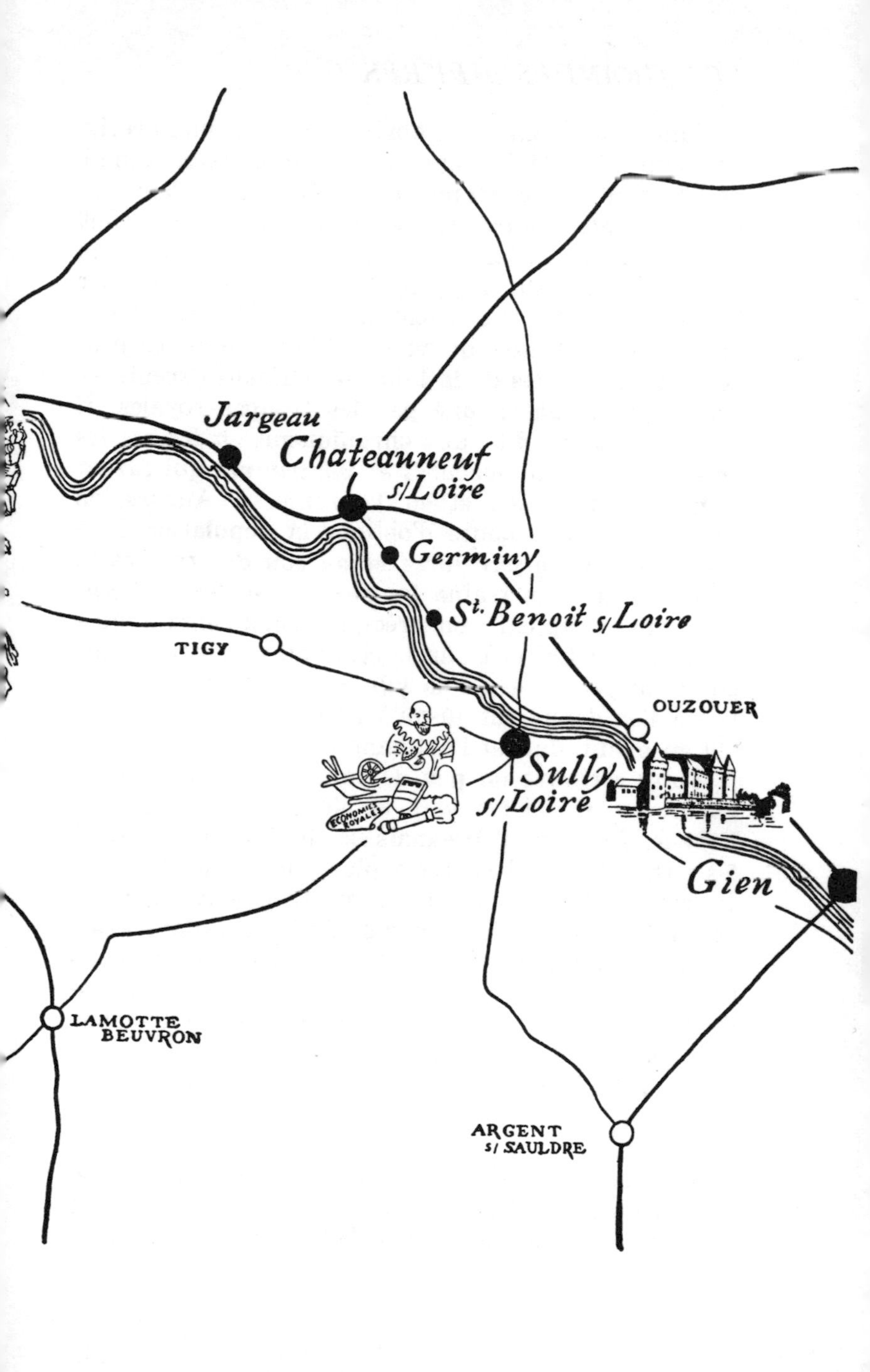

Jargeau
Chateauneuf s/Loire
Germiny
St. Benoit s/Loire
TIGY
OUZOUER
Sully s/Loire
ECONOMIES ROYALES
Gien
LAMOTTE BEUVRON
ARGENT s/ SAULDRE

de juillet, les huguenots, après avoir fait une brèche aux murailles de Beaugency — que la reine venait de quitter précipitamment, pénètrent dans la ville. *Cruautés, pilleries, forcements de femmes* sont indescriptibles. L'armée catholique, pour ne pas demeurer en reste, rappelle le duc de Guise et met le siège devant Blois. Bientôt, les royalistes entrent dans la ville et passent au fil de l'épée tous les protestants. Les villes de la Loire — Orléans excepté — sont reprises une à une par les troupes royales. *Il n'est possible,* dit un chroniqueur, *d'écrire les cruautés plus que barbares et inhumaines* qui furent commises en Anjou et en Touraine. A Angers, on se contenta sans doute d'obliger la population à se rendre à l'église *par force et au son des tambours,* mais à Tours, on traîna les *ennemis à l'escorcherie,* puis, mis en appétit, on précipita deux cents huguenots dans la Loire. Enfin le cœur du président Bourgault fut promené par la ville où gibets, potences et roues s'en donnèrent jusqu'à l'écœurement.

Cependant, durant l'automne et le début de l'hiver, la Loire retrouve un peu de calme. Le théâtre de la guerre se transporte vers la Normandie et l'Ile-de-France. Lorsque l'Orléanais et le Blésois revoient les combattants, il ne reste plus que des survivants. Le roi de Navarre avait été mortellement blessé en assiégeant Rouen, le maréchal de Saint-André avait été tué à la bataille de Dreux, le connétable de Montmorency était prisonnier des huguenots et, échange de bons procédés, le prince de Condé se trouvait entre les mains des troupes royales. Bref Guise et l'amiral de Coligny restaient seuls en présence.

***

Au début du mois de février — le 5 — le duc de Guise venant de Blois passe la Loire et, par la rive gauche — comme autrefois Jeanne d'Arc — vient mettre le siège devant Orléans où se retranchait l'amiral.

L'armée campe à Olivet sur la rive gauche du Loiret et à une lieue en face d'Orléans. Le duc a installé son quartier général au hameau des Vaslins et demeure au Châtelet (1) avec la duchesse de Guise et son fils, le prince de Joinville, le futur Henri de Guise qui un jour portera le même surnom que son père : *le Balafré.*

Dès le 6, les guisards ont emporté le faubourg des Portereaux en face d'Orléans et, le 9, le fort des Tourelles que Jeanne d'Arc avait enlevé cent trente-cinq ans auparavant se rend au duc de Guise.

Les troupes royales ont *advancé sur la moitié du pont* et la capitulation semble une question de quelques jours.

Le jeudi 18 février, le duc s'est attardé aux Portereaux au-delà du coucher du soleil. Accompagné seulement du sieur de Crenay, son maître d'hôtel, de Tristan de Rostaing et d'un jeune gentilhomme de sa vénerie, François Racine, le duc de Guise se dirige vers le bac de Saint-Mesme qui traverse la Loire non loin du moulin des Béchets et des hautes murailles du moulin Saint-Samson (2). Crenay quitte le duc afin d'aller trouver Mme de Guise (3), *l'oster de la peine où elle pouvait être à cause du tardif retour de Monsieur son mari et l'avertir qu'elle pouvait faire mettre la table pour le souper.* La petite troupe ayant passé l'eau, s'engage sur la route montante qui conduit aux Vaslins. Le chemin du Châtelet se détache sur la gauche. Soudain, au croisement

(1) Cette belle demeure a aujourd'hui disparu. Une construction moderne a pris sa place.
(2) Il existe toujours et ressemble plus à une forteresse qu'à un moulin.
(3) Anne d'Este, fille de Renée de France.

marqué par de hauts noyers et un gros rocher, un coup de feu retentit et *éclaire tout le sous-bois.*

— Je suis mort ! s'écrie le duc *en baissant la teste jusque sur le col du cheval.*

A six ou sept pas, on voit un homme relever son arquebuse et fuir en criant :

— Prenez le paillard ! Prenez le paillard, *comme pour faire croire qu'il se trouvait lui-même sur les pas du meurtrier.*

Racine pique des deux, mais perd bientôt la trace de l'assassin. François de Guise est parvenu à descendre de cheval et s'appuie contre le rocher.

— Il y a longtemps qu'on me devait celui-là ! soupire-t-il.

Cependant, le duc parvient à remonter à cheval et soutenu par ses deux compagnons gagne le Châtelet où il se couche. Le coup de feu a frappé *sous l'os de la palette* et est sorti *après la mamelle droite.* La blessure intrigue fort les médecins : l'entrée de la plaie étant plus large que l'issue... L'assassin — le huguenot Jean Poltrot, seigneur de Méré — arrêté le surlendemain soir (1) donna l'explication du mystère : il avait chargé l'arquebuse de trois balles dont deux se trouvaient déchiquetées, ramées et « réunies ensemble par deux fils de métal ».

Les médecins décidèrent de fouiller la blessure — il n'y a pas d'autre mot. Ils commencèrent par faire une grande ouverture *de haut en bas, mirent les doigts par-dedans et trouvèrent tout sain sauf une côte. Là, ils firent encore une autre ouverture en travers et, ayant tout bien regardé, trouvèrent qu'il n'estoit entré aucune chose dans le creux.* Les deux balles ramées — l'autopsie le prouvera — étaient

(1) Il avait galopé durant une nuit et un jour et était revenu sans s'en rendre compte non loin de son point de départ. Il fut arrêté dans une ferme où il se restaurait.

cependant restées dans la plaie... L'opération, on s'en doute, ne fit que hâter la fin du malheureux et l'on ne conserva bientôt plus aucun espoir. Catherine, accourue de Blois, venait voir le blessé deux fois par jour. Au fond d'elle-même, elle devait assurément se réjouir de voir disparaître celui qui avait si souvent joué le rôle de roi de France.

Avant de mourir, Guise recommanda à son fils de ne pas « désirer les grandes charges car elles sont très difficiles à exécuter ».

— Le monde est en effet trompeur, ajouta-t-il. Ce que tu vois clairement en moy-mesme qui, estant grand capitaine, suis tué par un petit soldat.

Henri de Guise, lorsqu'il sera assassiné par les *Quarante-cinq,* se souviendra-t-il des derniers mots de son père ?

***

Le corps fut transporté par la Loire jusqu'à Blois, puis de là à Paris. Le jour même où le cortège funèbre pénétrait dans la capitale, Poltrot de Méré était *tenaillé par quatre endroits* puis attaché à quatre chevaux et écartelé. Il fallut taillader les membres avec un couteau pour aider les chevaux... Devant cet horrible spectacle, la femme de Guillaume de Montmorency *s'évanouit et mourut incontinent.*

Le lendemain 19 mai, était publié à Paris l'édit signé à Amboise le 12 et qui mettait fin à la première guerre de religion. Les pourparlers avaient été menés par les deux prisonniers : le connétable de Montmorency et cet avorton de Condé à qui Catherine avait rendu son épée. La rencontre eut lieu sur une île de la Loire aujourd'hui disparue : l'île aux Bœufs, située non loin d'Orléans.

« La paix est faite, pourra bientôt écrire Montmorency, je suis sûr que vous la trouverez bonne. »

Elle était bonne surtout pour Catherine. L'édit d'Amboise accordait en effet la liberté du culte en leur maison *aux barons chastelains, haults justiciers et seigneurs* et *aux aultres gentilshommes ayant fief.* Le peuple n'avait le libre exercice de la religion réformée que dans une ville par baillage et encore devait-on construire le temple dans les faubourgs... Il semble inutile de préciser que le traité avait été établi par des gentilshommes.

— Vous êtes un misérable, dit Coligny à Condé, vous avez trahi Dieu par votre vanité !

Le protestantisme se trouvait « parqué et réservé à la classe privilégiée ».

Cependant Catherine ne se faisait guère d'illusions sur cette paix boiteuse.

— C'est reculer pour mieux sauter ! disait-elle.

Et quel saut !

⁂

En attendant — intermède entre deux guerres — le pays de la Loire, durant plusieurs mois, ne sera plus que bals et réjouissances.

Le 4 novembre 1565, Angers, *basse ville, hauts clochers, riches prostituées,* disait un dicton du temps, voit entrer dans ses murs un long cortège. Depuis le 13 mars de l'année précédente, la cour erre sur les grands chemins. Avant la Loire, Bourgogne, Provence, Languedoc, Guyenne, Angoumois, Poitou ont vu défiler cet extraordinaire spectacle que l'éminent Pierre Champion compare à une « harka » marocaine.

Charles IX a non seulement avec lui une douzaine de chevaux qui lui sont exclusivement réservés, mais à sa suite suivent un coche, une litière de parade traînée par des mules, un chariot doublé de velours vert, des coffres contenant des chiens de chambre, des dogues et des levrettes, du matériel pour les tournois, les lances pour courir la bague, des costumes de Maures, de Grecs, et d'Albanois pour pouvoir se déguiser, sans parler bien entendu des services de garde-robe, de la tapisserie, du mobilier et de l'armée de gentilshommes servants et de domestiques.

Catherine de Médicis possède elle aussi son coche, deux chariots *tirés par seize mulets* et un important convoi parmi lequel on remarque deux mulets spécialement choisis pour porter les confitures de la reine. Catherine est suivie de la troupe des enfants royaux : les futurs Henri III et Henri IV, et, enfin, des meilleurs auxiliaires de sa politique : ses ravissantes filles d'honneur, ce fameux *escadron volant* qui, sur l'oreiller, savait surprendre les secrets d'Etat ou influencer les décisions. Ces jolies filles sur leurs haquenées *Lamiraude, Charanssonay, Bressuire, Montal...* — ce sont les noms des montures — trottent derrière leur maîtresse.

Tout cela submerge la ville et s'engouffre tel un flot chatoyant dans la puissante forteresse du roi René.

La ville est en liesse.

Cependant les dépenses sont lourdes et, le 7, lorsque l'immense caravane quitte Angers pour le Verger, les Angevins poussent un soupir de soulagement. Le 9, la cour est à Lézigné ; le 10, au château féodal de Durtal (1) ; le 12, on déjeune à Jarzé au château

(1) Il ne reste plus aujourd'hui que deux tours à mâchicoulis et des fragments de la courtine. Le château actuel, dont les derniers propriétaires furent les La Rochefoucauld, a été construit sous Henri IV et Louis XIII. Il a été transformé en hospice.

construit peu de temps auparavant par Jean Bourré, ministre de Louis XII, et l'on couche à Baugé dans le petit château aménagé par le roi René (1). Le 13, le *harka* s'arrête à la Ville-aux-Fouriés et du 14 au 19 passe cinq jours à l'abbaye de Bourgueil (2) fondée en 990.

— C'est le plus beau lieu que je vis jamais ! s'extasia Catherine de Médicis.

Le 19, le roi et sa smala déjeunent à Ingrandes à la frontière de la Touraine et arrivent aux portes de Langeais. Tous les habitants, à une demi-lieue du village, agitent de petites bottes de paille en guise de fidélité. Le 20, la cour quitte le château et va se gorger de bécasses, d'alouettes, de ramiers et de perdrix à Maillé (3). On passe la Loire en bateau — ce ne fut pas une petite affaire ! — et on s'entasse au château du Plessis-lez-Tours.

Le lendemain, Ronsard reçoit chez lui la reine et ses filles et à chacun de ses hôtes récite un poème. Après cet intermède, le 22 novembre, le roi fait son entrée dans Tours au son des arquebusades, des coups de clairons et de trompettes. Le charivari s'arrête pour laisser le maire adresser sa harangue à Charles IX. Il est accompagné par tous les délégués des corporations. Au *Carroy,* le cortège passe sous un arc de triomphe où se trouvent peintes des allégories — deux tours soutenues par des mains jointes — puis, après une halte à Saint-Gatien,

(1) Il existe toujours. On y voit, dans une élégante tourelle, le célèbre escalier de soixante-huit marches qui s'achève par l'admirable voûte dont les nervures imitent des feuilles de palmier.

(2) On peut encore y admirer un bâtiment datant du XIIIe siècle et le cloître du XVe. Le château abbatial a été construit au XVIIe siècle.

(3) Aujourd'hui le château de Lugnes.

Le Roy s'en va en son Plessis esbattre
Pour voir le cerf et la bische courir
Mais il a vu son royaume se battre
Il le veut voir maintenant refleurir.

Le cerf et la biche vus, le roi toujours suivi de son arroi s'en va coucher le 2 décembre chez Jean Babou de la Bourdaizière, fils de Philibert, surintendant des finances sous François Ier. Jean Babou, gentilhomme de la chambre de Charles IX, reçoit son roi entouré de ses filles, Marie comtesse de Saint-Aignan, Madeleine, Diane, et Françoise d'Estrées qui vient de mettre au monde une petite fille à laquelle on a donné le prénom de Gabrielle...

Le lendemain, à Chenonceaux, Catherine montre les plans de la galerie que Philibert Delorme, à la demande de la reine, va faire ajouter sur le pont construit par Diane au-dessus du Cher. Mais la cour ne s'attarde pas. Dès le surlendemain, chevaux, litières et carrosses gravissent la tour d'Amboise et, le 5, le roi s'en va coucher à Blois. La cavalcade s'éloigne ensuite de la Loire et continue sa route vers Moulins où enfin bêtes et gens pourront un peu souffler après ces deux années de chevauchée...

⁂

Quatre ans plus tard, la Loire reverra une autre cavalcade royale, mais il ne s'agit plus, cette fois, de coffres contenant des chiens et des mulets portant des confitures. Plus d'armes de tournoi, mais des armes de guerre ! C'est en effet une armée drapée de fer qui campe à Tours et s'apprête à se porter au secours de Poitiers assiégée par l'amiral de Coligny et ses reîtres allemands. Le duc Henri de Guise

— fils de François — fait là ses premières armes. Il est parvenu à se jeter dans la ville et à réconforter par sa présence les habitants. Ceux-ci n'ont d'espoir qu'en l'armée royale commandée par un lieutenant général de dix-sept ans : le duc d'Anjou, le futur Henri III. Ce triomphateur du jour — il vient de battre Condé à Jarnac — se repose au Plessis-lez-Tours, en attendant le rassemblement des troupes destinées à délivrer Poitiers.

Henri est soucieux. Ce n'est pas le sort de Poitiers qui l'inquiète mais la jalousie du roi à son égard. Les victoires du jeune lieutenant général gênent visiblement Charles IX. Aussi un matin, le futur Henri III entraîne-t-il dans le parc du château une jeune fille de quinze ans, espiègle, malicieuse, jolie, et qui semble déjà terriblement femme. C'est la sœur des trois derniers Valois : Marguerite, future épouse de Henri IV, la célèbre reine Margot.

Henri veut faire de sa sœur une alliée :

— Vous voyez les belles et grandes charges où Dieu m'a appelé et où la reine, notre bonne mère, m'a élevé. Or, je crains que l'absence ne me nuise. Le roi mon frère est toujours auprès de notre mère, la flatte et la complaist en tout. Je crains qu'à la longue cela ne m'apporte préjudice et que le roi, devenant grand, ne s'amuse pas toujours à la chasse mais, devenant ambitieux, veuille changer la chasse de la beste pour celle des hommes.

Les yeux de la petite Marguerite brillent. En attendant l'amour — elle l'espérait tant ! — la voilà lancée dans la politique. Elle promet :

— Estant auprès de la reine ma mère vous y serez vous-même et je n'y serai que pour vous.

Ainsi fut fait. « Tous les plaisirs que j'avais connus jusqu'alors, avouera Margot, n'étaient que l'ombre de celui-ci. »

Henri peut partir tranquille ! Marguerite soutiendra la cause de son frère avec tant de chaleur que certains historiens plus romanciers qu'archivistes accuseront Margot et Henri de bien des choses... La cour des Valois est certes toute pourriture, mais possédons-nous la moindre preuve pour porter une telle accusation ?

Après avoir communié à la basilique Saint-Martin de Tours, Henri part pour Châtellerault suivi de huit mille Français, six mille Suisses, trois mille Italiens et deux mille Wallons.

L'amiral, le 7 septembre, lève le siège et se porte à la rencontre du duc d'Anjou. A Port-de-Piles, les deux armées sont en présence. Mais Coligny, dédaignant la bataille, semble vouloir traverser la Vienne et foncer vers Tours. Le futur Henri III envoie aussitôt prévenir son frère.

Au Plessis, ce fut l'affolement...

Le roi parla de pointer lui-même le canon contre les assaillants. C'était là sa marotte ! Lorsque Charles IX se livrait à cet exercice, il était un danger public. A Saint-Jean-d'Angély il avait réussi à tuer huit commissaires et douze canonniers... non chez l'ennemi mais parmi ses propres troupes. Le projet fut accueilli avec épouvante par les assistants ! Fort heureusement, au petit jour, le spectre du canon royal et celui des lansquenets de l'amiral disparurent. Les huguenots s'étaient arrêtés à Châtellerault.

Quelques jours plus tard, la nouvelle de la victoire catholique de Moncontour — non loin de Niort — arrive au Plessis et toutes les églises de Tours chantent le *Te Deum.*

La guerre ne s'en poursuit pas moins.

Mais les fumées des villages qui brûlent, les cris des femmes que l'on viole et des hommes que l'on égorge ne monteront point au-delà de la Vendée et du Poitou. La Loire ne verra que les « enfantillages » de Charles IX et de son frère Anjou qui, au château fort d'Angers, jouent à la guerre avec les laquais et les pages. Ils avaient formé deux troupes — huguenots et catholiques — et se battaient en corps à corps. A la suite de ces combats pour rire, le roi, bien faible et souffreteux, devait rapidement être mis au lit...

Ce fut, enfin, la paix de 1570... une paix toute consacrée aux fêtes, aux joies et à l'amour. C'est à Orléans, au cours d'un bal donné à l'hôtel Groslot, que Charles IX devait rencontrer la jolie Marie Touchet qui fut peut-être la seule maîtresse royale à ignorer l'ambition. Régner sur le cœur du roi lui suffisait...

Cependant — on s'en doute — la trêve fut de brève durée. Au lendemain de la Saint-Barthélémy les heures rouges sonnèrent à nouveau en doux pays de Loire.

A Orléans, dans la nuit du 26, *les massacreurs commencèrent l'exécution à l'entour des remparts d'une si estrange façon que les plus barbares du monde en eussent eu horreur et campassion. Toute la nuit on n'entendit que coups d'arquebouzes et pistoles, cris espouvantables de ceux que l'on massacrait, bruits des chevaux et charrettes traînant les corps morts, les blasphèmes horribles des meurtriers riant à gorge déployée...*

La tuerie dura trois jours *avec toutes sortes de cruautés.* Les catholiques contraignirent les huguenots à tuer eux-mêmes leurs frères et plus de mille cadavres furent jetés dans le fleuve.

Tous les petits villages eurent leurs massacres. Après avoir organisé celui de Saumur, Montsoreau arriva à Angers, mit lui-même la main à la pâte et la Loire reçut un nouveau contingent de cadavres.

Ces *corps massacrés, ces faces hydeuses et couvertes de sang* hâtèrent la fin de Charles IX qui mourut moins de deux ans plus tard n'ayant pas encore atteint sa vingt-quatrième année... La veille du jour où il rendit le dernier soupir, il appela sa nourrice qui était huguenote.

— Ah ! ma nourrice, ma mie, ma nourrice, sanglota-t-il, que de sang et que de meurtres ! Ah ! que j'ai eu méchants conseils !

X

L'HEURE DU BILBOQUET

Avec Henri III, la Loire va connaître ses dernières « Grandes Heures ». Heures frivoles où le roi déguisé en femme, les anneaux aux oreilles, mènera le branle ; heures graves et dramatiques aussi, pendant lesquelles Henri — roi honni et incompris — va sauver l'unité française et remettre au Béarnais son royaume.

***

Henri III est une bénédiction pour les historiens ! Selon leur humeur, leurs goûts, leur amour du paradoxe, leurs opinions politiques, leurs désirs de scandaliser ou de réhabiliter, ils peuvent en se basant sur certains documents, ou en les laissant dans l'ombre, camper du dernier Valois un portrait parfaitement juste, ou, du moins, qui paraîtra tel. D'ailleurs, ainsi que l'a fort bien dit Jean Héritier, Henri III, « protéiforme dégénéré supérieur, étonnant mélange de grandeur royale et de personnelle indignité, échappe à l'historien pour ne relever que du psychologue et du psychiatre ».

Il faut bien reconnaître que l'historien impartial demeure quelque peu perplexe lorsqu'il confronte les témoignages du temps. Un chroniqueur peint Henri sous les traits d'un *guerrier amoureux ;* un autre compare le *doux* roi à une *très jeune fille, tout adonné aux dames ;* tandis qu'un troisième témoin peint cette « très jeune fille », sous les traits d'un *farouche et viril guerrier.*

Les portraits de Henri III ayant dépassé la trentaine sont tout aussi déconcertants. C'est l'amoureux de Mlle de Châteauneuf ou de la princesse de Condé qui, apprenant la mort de cette dernière, se roule sur le sol, tombe évanoui, se frappe la tête contre les murs, et sombre dans la plus terrible des prostrations. C'est l'homme, écrit l'ambassadeur d'Espagne à son maître Philippe II, *épuisé pour avoir été trop près des femmes.* C'est aussi le prince d'*agréable conversation* et *amateur de livres.* C'est enfin — et nous arrivons au portrait le plus populaire — la coquette parfumée, aux mains gantées, dormant avec ses carlins et ses guenuches, parmi un océan de coussins : un roi-bouffe hérissé d'aigrettes, rutilant de bagues !

Mais ce joueur de bilboquet savait aussi — et ici aucun doute n'est admis — se transformer en homme d'Etat et souffrir *mille morts* en voyant la triste situation de son royaume déchiré par la guerre civile.

Cependant, au début du règne, sa plus lourde croix fut assurément son frère, le lamentable duc d'Alençon, dernier fils de Catherine. Chez ce *petit moricaud au visage bouffi, ne rêvant que guerre et tempête,* aucune dualité : le sang des Médicis submerge celui des Valois ! Ce phtisique est un traître, mais hélas !

sans l'allure d'un Laurent le Magnifique ! Précurseur de Gaston d'Orléans, à l'heure du péril il abandonnera ses amis avec une maestria qui laisse loin derrière elle celle du petit prince de Condé.

François d'Alençon ne vécut que trente-deux ans, deux mois et vingt-trois jours, mais à lui tout seul réussit à empoisonner l'existence de Henri III autant que tous les protestants réunis. D'ailleurs, il se mit à leur tête plusieurs fois...

Le 13 février 1575, révolté contre son frère, il parvient, à l'aide d'une échelle de corde, à s'enfuir du Louvre par la fenêtre de la chambre de sa sœur Margot. De là, il gagne l'abbaye Saint-Germain où l'attend son favori, le fameux Bussy. Le mur d'enceinte du couvent forme la clôture de la capitale. On pratique un trou dans ce mur et Alençon prend la route d'Angers. Deux jours plus tard, il apparaît sur la Loire.

Henri fut épouvanté.

La présence de son frère — et héritier — à la tête de l'armée protestante donnait aux coalisés une apparence de légitimité et de légalité. Catherine de Médicis, elle-même, faiblit. Elle qui a si souvent redressé la barque sent que cette fois il faut traiter. Suivie de son escadron volant de jolies filles et de ses astrologues, elle rejoint Alençon au château de Chambord. Le moricaud dicte ses conditions. A titre de garanties, il exige Angers, Niort, Saumur, Bourges et La Charité. Le roi, poussé par sa mère, s'incline et une trêve de sept mois est signée.

Mais un malheur ne vient jamais seul.

Henri III gardait plus ou moins prisonnier auprès de lui son beau-frère, le roi de Navarre, le futur Henri IV. Le Béarnais a été obligé d'abjurer la religion réformée et, depuis lors, *vit auprès du roi, à la cour de France, la plus estrange,* écrit-il à un ami, *que vous ayez jamais vue. Nous sommes presque tous prêts à nous couper la gorge les uns aux autres. Nous portons dagues, jacques de mailles et bien souvent la cuirassine sous la cape... Toute la ligue que savez me veut mal à mort. Ils disent qu'ils me tueront et je veux gagner les devants.*

Henri « gagne les devants », le 3 février 1576, au cours d'une partie de chasse à courre. Avec désinvolture il abandonne à la fois sa femme, la reine Margot, et sa maîtresse, la jolie Charlotte de Sauve que lui avait donnée Catherine avec mission de le retenir.

Le 26 février, après avoir musé en cours de route, il arrive à Saumur.

— Loué soit Dieu qui m'a délivré ! déclare-t-il en passant la Loire et en prenant la route qui doit le conduire auprès du duc d'Alençon.

La trêve s'achève et la lutte reprend. La victoire de Henri de Guise à Dormans — c'est là que le duc reçut sa balafre — n'empêche pas les reîtres allemands appuyés par l'Angleterre de rejoindre le frère du roi qui a maintenant une armée de trois mille hommes sous ses ordres. Alençon franchit la Loire et Henri III se résout, une fois de plus, à traiter.

Catherine, toujours suivie de son escadron de filles d'honneur et de ses mages, mais secondée cette fois par sa fille Marguerite, reprend le chemin de la Loire. L'entrevue a lieu dans l'abbaye où est enterré Foulques Nerra. L'escadron volant a beau faire feu de toutes ses pièces, Margot *mignotter* son cadet, le duc d'Alençon demeure inflexible. Le roi doit s'incliner et le 6 mai 1576, les larmes aux yeux, Henri pose sa signature au bas de la *paix de Monsieur*.

Les protestants obtiennent des places de sûreté, la réhabilitation des victimes de la Saint-Barthélemy, la charge de gouverneur de la Guyenne pour le futur Henri IV et, enfin, pour le duc d'Alençon, un apanage comprenant le duché d'Anjou, la Touraine, le Maine, le Berri et une prestation de cent mille écus d'or.

La France possède en François un nouveau Charles le Téméraire !

De plus, le roi vaincu doit payer les frais de la campagne. A eux seuls, les reîtres de Casimir, fils de l'Electeur Palatin, coûtent à la couronne la bagatelle de douze millions de livres et, pour régler la note, Henri III doit mettre ses bijoux en gage à Florence.

La paix de Beaulieu est le pendant du traité de Madrid !

Jamais la tendre Touraine ne vit si triste été ! Celui qui fut le dernier duc apanagiste entra dans sa capitale de Tours le 28 août 1576. Le nouveau duc d'Anjou ne montra certainement pas la moindre gêne en contemplant l'arc de triomphe placé hors de la ville où l'on voyait sous les traits de Henri et de François, deux statues représentant Castor et Pollux. Au-dessus de leurs têtes brillait *une estoille claire et rayonnante, symbole de leur fraternelle amitié et de leur volonté, unies pour chastier les infracteurs de la paix et les perturbateurs du repos public.*

Le « perturbateur du repos public », qui aujourd'hui se faisait gendarme, avança ensuite sur le *boullever,* tandis qu'un homme *contrefaisait au naturel le chant du rossignol et plusieurs autres sortes d'oiseaux.* Les Tourangeaux ont de l'esprit et peut-être le chant du merle moqueur se fit-il entendre tandis que le nouveau duc d'Anjou passait sous une banderole indiquant qu'il *recevait l'hommage des terres*

Dont la vertu vous faict seigneur.

La vertu !... Alors que seule la trahison rendait François maître des quatre plus riches provinces du royaume !

Quittant le boullever, Anjou entre dans la ville et *comme le pays et duché de Touraine est le jardin de la France,* explique le chroniqueur Nancel, *ainsi lui fut représenté dans le carroy* (carrefour) *Jehan de Beaulne* (1) *un jardin fort artificieusement dressé et aussy plaisant à veoir.* Il y avait là deux statues en pierre ayant *grands cheveux, longue barbe,* couvertes *de roseaulx et joncz* et tenant entre leurs mains un *avyron.* Ces deux messieurs barbus représentaient, paraît-il, la Loire et le Cher. A peine le duc les eut-il admirées que le peuple *curieux de les voir de plus près* entra dans le jardin *en si grand foulle que le tout fut incontinent pillé, ravagé et emporté avec brisement des dictes statues. Ce qui fut un grand dommage,* soupire notre chroniqueur.

Le duc d'Anjou s'en alla ensuite souper et coucher non loin du quai de la Loire, à l'hôtel de Philibert Babou de la Boudaizière (2) jadis argentier du roi François Ier.

***

Le duc d'Anjou ainsi comblé de faveurs royales ne pouvait faire moins que de soutenir, aux Etats généraux réunis à Blois, la politique de son frère Henri III et de se déclarer l'ennemi des protestants, grâce à qui il avait obtenu son apanage !

Les Etats qui ne comptaient qu'un seul député protestant — l'élu de la noblesse de Saintonge — exigèrent qu'il n'y eût plus désormais en France qu'une seule religion. On vota, et l'exercice du culte

(1) Argentier des rois Louis XI et Charles VIII.

(2) Ce gracieux hôtel de la Renaissance — situé au n° 8 de la place Foire-les-Rois — abrite aujourd'hui le Musée archéologique de Tours.

réformé se trouva interdit, dogmatisants, ministres et pasteurs bannis.

C'était la guerre !

Une guerre beaucoup plus féodale d'ailleurs que religieuse. On ne se battait que pour soutenir les intérêts des grands, tels Guise, Condé, Mayenne, Navarre, La Trémoille, Anjou ou Biron. Ce dernier disait d'ailleurs avec franchise :

— A quoi serions-nous bons sans les guerres ?

Et ces messieurs d'embaucher force reîtres, lansquenets ou troupes écossaises. Ce qui permit à Montaigne de s'exclamer :

— Monstrueuse guerre ! Nos armées ne se lient et ne se tiennent que par ciment étranger ; quelle honte !

A la tête des calvinistes, le frère du roi avait presque reçu un royaume... Que n'obtiendrait-il pas en les battant ? Aussi, sans vergogne, prit-il le commandement de l'armée royale. Il commença la guerre contre ses anciens amis en mettant le siège devant La Charité.

Du haut des remparts, les huguenots narguaient le duc d'Anjou en ces termes :

En vain vous employerez le blocus et la mine
Le canon ne peut rien contre La Charité
Bientôt vous détruiront la peste et la famine
Car jamais sans la foi n'aurez la charité.

La peste et la famine n'eurent point à se mettre de la partie! La ville dut se rendre le 1er mai 1577.

Le 15, au Plessis-lez-Tours, le roi, pour fêter la victoire de son frère, donne un festin placé sous le signe de la folie. On avait acheté pour soixante mille francs — somme considérable pour l'époque — de draps de soie verte et l'on avait habillé de cet uniforme, couleur des fous, les femmes en hommes et les hommes en femmes... Répétition générale d'une autre fête demeurée célèbre et donnée le 9 juin par Madame Catherine à Chenonceaux en l'honneur de son fils. La dépense fut de cent mille livres, nous dit Pierre de l'Estoile, *qu'on leva par forme d'emprunt sur les plus aisez serviteurs du roi et même de quelques Italiens qui s'en sçurent bien se rembourser par ailleurs.*

Ce fut une nuit inoubliable ! La grande nuit de Chenonceaux ! L'orgie fut décrite cent fois par de nombreux historiens qui s'en donnèrent à cœur joie. Laissons plutôt la parole au chroniqueur Pierre de l'Estoile : *En ce beau banquet,* écrit-il, *les plus belles et honestes de la cour estant à moitié-nues et ayans leurs cheveux espars comme espousées furent employées à faire le service, avec les filles des roynes qui estoient vestues de damas de deux couleurs. Ce festin se fit à l'entrée de la porte du jardin, au commencement de la grande allée, au bord d'une fontaine qui sortoit d'un rocher par divers tuyaux.*

Le roi présidait le repas revêtu d'une robe de damas rose et argent ; ses cheveux étaient poudrés de violet et des perles brillaient à ses oreilles. Il était si décolleté qu'à le voir

chacun estoit en peine
S'il voyait un roi-femme, ou bien un homme-reine.

Le 28 mai 1577, Alençon avait commencé le siège d'Issoire. Le mercredi 12 juin, il entra dans la ville et ne put empêcher que ses hommes *ne pillassent, ne brûlassent et tuassent inhumainement tout ce qui se trouvait devant eux, sans discrétion.*

Deux jours plus tard, le roi qui se trouve encore à Chenonceaux apprend la victoire. Il décide aussitôt que la demeure de sa mère sera désormais appelée le *château de Bonne Nouvelle.* Tandis que les huguenots *trouvant bien dur et étrange le traitement qu'on faisait à ceux de leur religion et aussi que leurs affaires allaient tout à rebours, appelèrent cette année l'année des mauvaises nouvelles.*

Et ce fut bientôt l'édit de Poitiers et, une fois encore, la paix... une paix provisoire bien entendu !

Le duc d'Anjou — François le Victorieux — en profita pour parcourir ses quatre provinces, son « presque » royaume.

***

A Angers, Louis de Clermont, sieur de Bussy d'Amboise, ancien mignon de Henri III et aujourd'hui de Monsieur, s'apprêtait à accueillir son maître.

Ces *mignons !* Que d'encre ne firent-ils pas couler ! Des historiens — tels l'éminent Pierre Champion — nous les présentent sous l'aspect d'une « petite bande de bretteurs avides de se surpasser, de donner des leçons aux vieux soldats, tout en demeurant des jeunes gens » ; tandis que certains chroniqueurs du temps nous les dépeignent sous l'aspect de *muguets frisés, fardés, diaprés, pulvérisés de poudre violette, de senteurs odoriférantes,* et portant autour du col des fraises telles que l'Estoile pouvait s'exclamer :

— A voir leurs têtes il semblait que ce fût le chef de saint Jean dans un plat !

Pierre Champion, essayant de réhabiliter ces messieurs efféminés, va jusqu'à nous affirmer le plus sérieusement du monde que le mot *mignon* voulait dire au XVIe siècle : « serviteur ».

Les ambassadeurs italiens appellent plus justement les mignons des « *favoritii* ». Jusqu'où ces *favoritii* furent-ils des favorites royales ou princières ? Jusqu'où alla l'affection que le roi ou son frère Anjou leur portaient ? Est-ce à François ou à

Henri que s'adressaient ces vers de Philippe Desportes :

Ce mignon si frisé, qui n'est d'homme et de femme !
Il vous nomme son cœur, vous l'appelez votre âme ?

Où s'arrête la réalité ? Où commence la légende ? Doit-on qualifier les chroniqueurs du temps d'historiens ou de pamphlétaires ? Car, fait important, les accusations contre Henri et ses mignons, exploitées pour des fins politiques, partent toutes du camp guisard ou ligueur.

Il est néanmoins un fait certain : ces mains parfumées, ointes d'onguents, tiraient volontiers l'épée et maniaient la dague sans trembler. Beaucoup de ces jeunes snobs qui ne portaient jamais deux fois la même chemise, *estimant que le linge lessivé ne leur saurait convenir,* étaient de rudes bretteurs, affichant un parfait mépris de leur vie — et de celle des autres — quand il s'agissait de ferrailler pour leur roi.

Quoi qu'il en soit, revenons à Bussy, à qui le sens donné par Pierre Champion au mot « mignon » peut, semble-t-il, s'appliquer. Le gouverneur d'Angers jouait assurément mieux de l'épée que du bilboquet ! *Ce brave soldat, hault à la main,* se moquait d'ailleurs ouvertement de ceux qu'il nommait les *mignons de couchette,* les Quélus, les d'O, les Saint-Mesgrins ou les d'Arques.

Ayant tout d'abord fait partie de la bande royale, il avait accompagné le futur Henri III en Pologne. Mais l'ennui qui émanait de Cracovie parut insoutenable à Bussy qui, à la première occasion, quitta les bords de la Vistule pour retrouver ceux de la Loire.

Henri III ne lui pardonna jamais cet abandon et à son retour « répudia » son mignon.

Bussy choisit alors comme maître le frère du roi,

François d'Alençon, et comme maîtresse la sœur du roi, Marguerite de Valois. Il avait — on le voit — du goût pour la famille...

On ne compta bientôt plus ses duels. Les fameuses rencontres de Bussy prenaient d'ailleurs l'aspect de véritables batailles rangées ! Mignons du roi et Mignons de Monsieur se battaient jusqu'à ce que mort s'ensuive.

Les *bravaches* du seigneur de Bussy, cette façon de dégainer à propos de tout et de rien, cette manière de se promener suivi de six pages *vestus de drap d'or frizé,* importunaient le roi au-delà de toute expression. Aussi, lorsque au lendemain de la paix de Monsieur, le duc d'Alençon, devenu duc d'Anjou, demanda à son frère l'autorisation de nommer Bussy gouverneur d'Angers et de la province angevine, Henri III s'empressa-t-il de donner son accord. D'abord il ne verrait plus celui qu'il haïssait aujourd'hui, ensuite ses chers « *favoritii* » se trouveraient à l'abri de la terrible épée de Bussy !

En entrant à Angers le 10 novembre 1576, Bussy fut accueilli aux cris de :

— Noël ! Noël ! Longue joie et prospérité à notre nouveau gouverneur !

Bussy souriait avec élégance et suivi d'une somptueuse escorte pénétra dans le château dont les dix-sept tours d'enceinte n'avaient point encore été découronnées. Il alla demeurer dans le donjon élevé deux siècles auparavant et dont, aujourd'hui, il ne reste plus rien.

Le lendemain de la « joyeuse entrée », les bourgeois déchantèrent... Les soldats amenés par le nouveau gouverneur n'étaient, nous dit Louvet, qu'*un ramassis d'estafiers coupe-jarrets qui faisaient de grandes volleryes et insolences aux habitants de la ville.* Les Angevins se plaignirent tout en enrobant bien entendu, leurs réclamations dans des formules de profond respect. Bussy le prit de haut et alla s'installer à une lieue d'Angers, au château des Ponts-de-Cé, un donjon pentagonal qui s'élevait — et dont les ruines s'élèvent encore — dans une île de la Loire. Malheureusement pour les bourgeois, les *estafiers coupe-jarrets* restèrent à Angers.

Cependant, un beau matin, les troupes quittèrent leur cantonnement pour aller réprimer de prétendues révoltes formentées, disait Bussy, par les protestants. A la tête de ses *4 000 harquebouziers,* le gouverneur saccagea plus de vingt-cinq lieues de pays. Le *paouvre peuple,* nous dit encore le brave Louvet, *fuyait devant le sieur de Bussy comme devant ung tyran barbare.*

Les bourgeois angevins avaient eu le plus grand tort de se réjouir du départ des troupes car c'est à eux que Bussy demanda d'acquitter les frais de déplacement de ses *harquebouziers.* Coût : vingt-cinq mille livres qu'il fallut payer en vingt-quatre heures !

La visite officielle que leur fit leur « bon duc » le 13 avril 1578 leur coûta encore plus cher ! François était accompagné de Catherine de Médicis. Avec Bussy, ils prirent place sous un dais de velours violet *armoirié et parsemé de fleurs de lys d'or.* En cet équipage, le duc d'Anjou s'arrêta à tous les carrefours où l'on avait construit des estrades. Selon la coutume, on pouvait y voir des allégories en plâtre ou encore des *plattes painctures* entourées de musiciens et de chanteurs. L'évêque d'Angers célébra ensuite un service solennel..., ce qui prouvait qu'il n'était point rancunier car quelques jours avant que le duc d'Anjou n'entrât officiellement dans la ville, le prélat avait offert au prince, à Bussy et à leur suite un banquet pantagruélique. Le vin blanc aidant, les convives s'étaient amusés à jeter par la fenêtre *les assiettes et écuelles d'argent de Monseigneur...*

Le duc s'en alla loger au château, tandis que Catherine vint demeurer au célèbre Logis Barrault où, avant elle, Louis XI, Louis XII, Anne de Bretagne, César Borgia et Marie Stuart avaient gravi le fameux escalier de la tour à la fois octogonale et carrée (1).

Ce ne furent que fêtes et réjouissances. Le duc d'Anjou, accompagné de son cher Bussy, était invité par tous les châtelains des environs. C'est ainsi qu'un jour, revenant de La Flèche, François et son mignon s'arrêtèrent au château de la Coutancière (2) où ils furent reçus par Charles de Chambes, comte de Montsoreau et par sa femme que Dumas devait rendre célèbre sous le nom de *la dame de Montsoreau.*

Le drame fameux, n'en déplaise à Dumas, ne se déroula pas à Montsoreau, mais dans ce château de la Coutancière où, pour la première fois sans doute, Bussy, en ce printemps 1578, rencontra celle pour laquelle il devait mourir.

Dumas est excusable. Rien de plus imposant que le château de Montsoreau où le comte de Chambes et sa femme passaient l'hiver. Cette puissante forteresse féodale dont les fenêtres à meneaux, le chemin de ronde et les mâchicoulis se mirent dans les eaux de la Loire, est bien le cadre rêvé pour abriter les amours de la dame du lieu avec le séduisant

(1) Le logis Barrault construit en 1487 par Olivier Barrault, maire d'Angers, existe toujours. Après avoir été habité par Marie de Médicis, le maréchal de Brézé et le duc d'Orléans, frère de Louis XIII, après avoir servi de prison sous la Terreur, il abrite aujourd'hui le musée de la ville et la bibliothèque municipale.

(2) Le château — un vrai nid d'aigle — situé à Brain-sur-Allonnes n'existe plus.

Bussy. De même, lorsqu'on voit la tour barlongue qui flanque la façade orientale, on imagine fort bien le comte de Chambes jetant du haut des créneaux dans le fossé le corps ensanglanté du séducteur.

Le comte de Montsoreau n'était pas comme le dépeint Dumas une odieuse brute, un vieillard lubrique, mais un fort brave homme. C'est même — chose rare à l'époque — un homme timide, plus attiré par la lecture que par les coups d'épée, sauf, bien entendu, lorsqu'il s'agissait de massacrer quelques protestants récalcitrants. Il avait été nommé grand veneur du duc d'Anjou, mais ne semblait guère aimer les plaisirs violents. Bussy, vu par Dumas, est aimable et loyal. Le portrait est quelque peu enjolivé, les Angevins du XVIe siècle en savaient quelque chose ! De même la dame de Montsoreau ne se nommait pas Diane mais Françoise de Meridor et sa pureté était toute relative. Cependant les contemporains sont d'accord avec Dumas pour la déclarer ravissante et Bussy fut bien de cet avis ! La célèbre aventure ne commença pas au printemps 1578 mais douze mois plus tard. Durant cette année, Bussy joua de malchance. Plein de projets, plein de suffisance, il accompagna son maître dans les Flandres. Alençon espérait devenir maître de la future Belgique. Mais, nous dit Brantôme, ces *haultes menées* n'avaient été qu'*un feu de paille aussitôt évaporé.*

L'échec mit le duc d'Anjou en une humeur détestable. Il rendit son mignon responsable et, lorsque Bussy revint à Angers au mois d'avril 1579, il se trouvait en pleine disgrâce. Tout séjour à la cour lui fut même interdit !

Cloîtré dans son château des Ponts-de-Cé, le gouverneur s'ennuyait ferme... jusqu'au jour où lui vint l'idée d'aller voir à la Coutancière la comtesse de Montsoreau qui s'ennuyait aussi ferme que lui !

Les exigences de la charge de grand veneur obligeaient le mari à résider à la cour et l'inévitable se produisit. Si la légende est ici prolixe, l'histoire ne connaît qu'un fait : Bussy — assez peu galant — envoya à Paris, à son ami de Thou, un billet dans lequel se trouvait cette phrase : *J'ai tendu des rêts à la Biche du Grand Veneur et je la tiens dans mes filets.*

— Est-il vrai, Monsieur de Thou, demanda le duc d'Anjou, que vous avez reçu des nouvelles de M. de Bussy ?

De Thou, sans se faire prier, montra le billet.

— Voulez-vous me le confier ?

— Très volontiers, Monseigneur.

Anjou agita la lettre devant Henri III faisant même mine de l'oublier sur une table du cabinet royal.

On connaît la suite.

Le roi montra la lettre à Montsoreau et lui fit comprendre à demi-mot que s'il voulait venger son honneur on saurait fermer les yeux. Ainsi, Henri III se souvenait de l'abandon de l'infidèle Bussy...

Le mari arriva à la Coutancière à brides abattues et dit à peu près ceci à sa femme :

— Je sais tout. Ecrivez à votre galant en lui donnant rendez-vous pour demain soir vers les minuit.

Décrire la suite nous ferait accuser par le lecteur de marcher sur les traces d'Alexandre Dumas. Contentons-nous de donner la parole à Pierre de l'Estoile, chroniqueur du temps :

Le mercredi 19 août, Bussy d'Amboise, gouverneur d'Anjou, qui faisait tant le grand et le hautain à cause de la faveur de son maître et qui tant avait fait de maux et pilleries au pays d'Anjou fut tué par le seigneur de Montsoreau. Ensemble avec lui (se trouvait) *le lieutenant criminel de Saumur qui était son messager d'amour et qui l'avait conduit pour coucher cette nuit-là avec la dame de Montsoreau à laquelle Bussy depuis longtemps faisait l'amour et auquel la dite dame avait donné exprès cette fausse assignation pour l'y faire surprendre par Monsieur son mari.*

En arrivant au château, Bussy *fut aussitôt investi et assailli par dix ou douze hommes qui accompagnaient le sieur de Montsoreau lesquels de furie se ruèrent sur lui pour le massacrer. Ce gentilhomme se voyant si pauvrement trahi et qu'il était seul ne cessa pourtant de se défendre jusques au bout montrant que la peur comme il disait souvent, jamais n'avait trouvé place dans son cœur. Tant qu'il lui demeura un morceau d'épée dans la main il combattit toujours et jusqu'à la poignée et après s'aida de table, bancs, chaises et escabelles avec lesquels il blessa et offensa trois ou quatre* (hommes) *jusqu'à ce qu'étant vaincu par la multitude et dénué de toute arme et instrument pour se défendre, fut assommé près d'une fenêtre par laquelle il se voulait jeter pour se sauver.*

Telle fut la fin de Bussy qui était d'un courage invincible, mais vicieux et peu craignant Dieu, ce qui lui causa son malheur.

Devant cette mort, on oublia les promenades sanglantes des *harquebouziers* et les *pilleries* des *estafiers*. La reine Margot pleura son ancien amant en soupirant :

— Il n'y avait en ce siècle, de son sexe et de sa qualité, rien de semblable en valeur, grâce et esprit.

L'épitaphe de Bussy semble moins partiale :

Le mignon de Vénus, le favori de Mars
L'effroi des Nations, le craint de toutes parts
Bussy le beau, le fort, le fendant, le terrible
Cy-gist assassiné par un juste courroux
De ce que ne doit faire femme à son espoux.

Mais, ainsi que l'a remarqué Léon Marlet, Bussy revit encore mieux en ces quatre vers faits à l'époque de ses triomphes, ces quatre verts qu'il fredonnait peut-être en courant à ce fatal rendez-vous dont il ne devait pas revenir :

Un beau chercheur de noises
Est le seigneur d'Amboise,
Tendre et fidèle aussy
Est le brave Bussy.

XI

L'HEURE FATALE

Le brouillard montait de la Loire, s'infiltrait dans toutes les rues de la vieille ville et enserrait le château. De même, en cet automne 1958, les Ligueurs et leurs alliés, les députés des États, occupaient Blois, entouraient la demeure de Henri III et assiégeaient la monarchie.

Quelle année le roi ne venait-il pas de vivre ! A peine avait-il pu s'échapper de Paris, fuyant les barricades victorieuses de la Ligue, que *l'Armada* de Philippe II d'Espagne, cette flotte *bénite du pape mais maudite de Dieu,* avait lentement défilé devant les côtes de France. Cette armée flottante de l'*Inquisition,* ces terribles bastilles hérissées de mâts, de voiles et de canons, s'en allaient, sans doute, attaquer la reine Elisabeth, mais menaçaient également la France. Si le roi Philippe était victorieux, le duc de Guise l'appellerait à la rescousse et le royaume de Henri de Valois serait traité par l'Espagne comme venait de l'être l'Italie. Devant ce danger, Henri avait préféré céder aux instances de sa mère Catherine : traiter avec le duc de Guise et signer le lamentable *Pacte d'Union.* Le Balafré devenait lieutenant général ; son frère le cardinal, légat en Avignon, et le roi était contraint, à la demande des Guises, de convoquer les Etats Généraux à Blois.

Mais les lourds vaisseaux de l'Armada — bœufs harcelés par des taons — avaient été attaqués par les brûlots de lord Howard et dispersés par la tempête. Le *Pacte d'Union* désormais inutile, le roi de France avait cru pouvoir secouer son joug. Il avait renvoyé les ministres plus ou moins guisards pour s'entourer de conseillers fidèles. Réaction inévitable contre les nouveaux ministres : les électeurs avaient envoyé à Blois des députés ligueurs et les royalistes ne possédaient pas un quart des sièges. Les guisards ne sentaient plus leur joie ! Le clergé avait élu à la présidence le cardinal de Lorraine, la noblesse avait choisi Brissac — le roi des Barricades — et le tiers avait désigné Michel Marteau de La Chapelle, prévôt des marchands de Paris.

Le 16 octobre s'ouvrit la séance.

La grande salle des Etats du château de Blois — elle n'a pas bougé — a revêtu sa parure des grandes fêtes ! Les murs sont recouverts de *riches tapisseries à personnages rehaussés d'or* et les sept piliers du XIIIe siècle, surmontés d'arcades en tiers-points, sont habillés de velours violet semé de fleurs de lis d'or.

Les députés sont rangés *en rang d'Oignon...* c'est-à-dire que le maître de cérémonies de la cour, le baron d'Oignon, a placé les délégués en suivant scrupuleusement les préséances et selon « un rang », dont il a le secret et qui passera dans la langue.

Entre le troisième et le quatrième pilier, sous un dais gigantesque, a été dressé le *grand échafaud royal.* A la gauche du roi, on voit la douce reine

Louise qui rappelle la reine Claude par son effacement volontaire et par l'amour, l'adoration plutôt, qu'elle porte au roi. Elle est si étonnée d'être reine de France ! A la droite de Henri sur un *grand marchepied* se tient Madame Catherine, tout de noir vêtue et qui n'a plus que trois mois à vivre. Sa goutte, ses rhumatismes, son perpétuel catarrhe ont tassé son corps, alourdi et empâté ses traits. Elle a tant travaillé avec quatre enfants en bas âge et un royaume sur les bras ! Mais aujourd'hui, elle n'est plus rien. Henri III l'a chassée du pouvoir. Elle n'est plus qu'une figurante et, comme l'a fort bien remarqué Jean Héritier, les fleurs que Henri III va jeter sur elle au début de son discours d'ouverture sembleront à la vieille princesse désœuvrée comme un hommage funéraire. Elle ne se rend d'ailleurs plus très bien compte des réalités.

— Je n'ai pas peur de lui, disait-elle en parlant du duc de Guise assis, ce même jour, dos au roi. Je le connais bien, il est trop poltron.

Quel aveuglement !

— Il n'y eut jamais de poltron en cette brave race, disait Montluc.

— Personne ne saurait lui résister à l'escrime, disait l'ambassadeur vénitien Lippo Mano, et un jour je le vis, jouant à la barrière, frapper de l'épée le casque d'un chevalier aussi fort que lui de manière à le jeter par terre.

— La France, renchérissait un autre, estoit folle de cet homme, car c'est trop peu dire amoureuse !

Et c'est bien avec des yeux d'amour que le regardent aujourd'hui les députés ligueurs venus de toute la France ! Evêques en *roquet* et surplis, gentilshommes en toque de velours et cape, membre du tiers en robe et bonnet carré, n'attendent pas du roi le remède aux *lamentables ruines et cruautés* qui rongent le pays comme une lèpre. Dans quel état est le royaume ! Les pauvres *crient à la faim,* la terre est *sans labour* et que d'injustices, que d'iniquités, tandis que *la crainte de Dieu se perd de jour en autre !*

Seul, le Balafré peut sauver la France et exterminer les hérétiques !

Le duc devine l'espoir qui luit dans tous les yeux. Habillé de satin blanc, *la cape relevée à la bizarre,* il regarde les députés, rapporte un témoin, *semblant leur dire par toute son attitude :*

— *Espérez ! Je vous vois !*

Guise nargue le roi *avec superbe,* ce roi qui a osé, quelques jours auparavant, lui refuser une garde d'archers. N'est-il pas lieutenant général ? Mais Henri, en dépit des insistances de Guise, a tenu bon et, aujourd'hui, dans son discours, il joue la comédie de la dignité royale... fragile paravent d'un trône plus fragile encore !

— Je suis vostre roi, donné par Dieu et suis seul qui le suis véritablement et légitimement ! C'est pourquoi je ne veux être en cette monarchie que ce que je suis.

Assis dans sa *chaire à bras non endossée,* le duc reste impassible. Mais soudain, il tressaille, il change de couleur, le roi ose le menacer.

— Des grands de mon royaume ont fait des ligues et associations. Mais, témoignant ma bonté accoutumée, je mets soubs le pied tout le passé, mais je déclare dès à présent, pour l'avenir, atteint et convaincu de crime de lèze-majesté ceux de mes sujets qui ne s'en départiront ou y tremperont sans mon adveu.

C'est la comédie de la puissance et du pardon... comme si le roi pouvait encore menacer ou absoudre !

Mais, la séance terminée, les chefs ligueurs — le cardinal de Lorraine, le duc de Guise en tête — parlent haut et exigent du roi la suppression de la phrase attaquant *les grands du royaume* qui ont *faict des ligues et associations.*

Henri, la mort dans l'âme, doit obéir.

Il fut noté, écrit un chroniqueur, que, *pendant ses rétractations, il survint une si grande obscurité par un orage et grêle qu'il fallut allumer la chandelle en plein jour pour lire et écrire, ce qui fit dire à quelqu'un que c'était le testament du roi et de la France qu'on écrivait et qu'on avait allumé la chandelle pour lui voir jeter le dernier soupir.*

Le 18, les députés demandent que le roi veuille bien renouveler son serment de l'*édit d'Union* donnant à Guise force et puissance.

Et Henri doit, à nouveau, s'incliner.

Dès lors, ce fut une série d'abdications. Le roi qui a besoin d'argent demande aux députés de voter des subsides, mais ils se montrent intraitables.

— Je réduirai ma maison au petit pied, supplie Henri, les larmes dans la voix. Là où il y avait deux chapons, il n'y en aura plus qu'un. Mais comment voulez-vous que je vive ? Me refuser l'argent, c'est me perdre, vous perdre et l'Etat avec nous.

Un député guisard ose répondre :

— Eh bien ! ne soyez plus roi !

— Messieurs, ricane un autre, la marmite du roi est renversée ! Faites-la donc bouillir !

Insulté, le Valois semble ne rien entendre. Il feint même de ne pas s'apercevoir de la présence de l'escorte toujours plus importante que le Balafré traîne avec lui. Mais, dans le tréfonds de lui-même, il a juré de se venger... ou plutôt il a décidé de sauver son royaume.

***

C'est grande fête ce 18 décembre 1588 au château de Blois. La Renaissance lance ses derniers feux. La reine mère fiance sa petite-fille Christine de Lorraine, fille de la douce et lettrée Claude de France, au grand-duc Ferdinand de Médicis.

Rebecs, luths et violes d'amour font danser les jolies filles de l'*escadron volant* dont ce sera ce soir la dernière sortie.

Dans la grande salle, les courtisans semblent ne penser qu'aux *baise-mains*. En réalité, dit un témoin, ce ne sont que *traîtres saluts*. Le roi Henri, fantôme fardé, les yeux chargés de khôl, semble déjà un vieillard prêt à être tonsuré et expédié en quelque cloître.

— Vous le tiendrez, aurait d'ailleurs déclaré la vieille Mlle de Montpensier au duc de Guise, et moi, avec mes ciseaux, je lui taillerai une couronne.

Le duc, plus entouré que le roi, domine de sa haute stature toute la fête. Jusqu'à présent, il ne pensait qu'à devenir le maire du palais, mais depuis la veille, depuis ce dîner chez son frère le cardinal, il songe à prendre la couronne. Le prélat avait levé son verre en le regardant :

— Je bois, s'était-il écrié, à la santé du roi de France.

Quelle explosion d'enthousiasme ! Que de vivats !

Au bout de la table, perdu parmi les gentilshommes guisards, se tenait l'Italien Venetianelli. Il avait affecté de crier plus fort que les autres :

— Vive Henri le Balafré ! Vive l'héritier de Charlemagne !

Mais dès le lendemain matin, il était allé tout raconter à son maître Henri III. Le roi était devenu pâle et ce soir sa décision est prise : s'il ne tue pas le Balafré, la France est perdue !

Il ne s'agit d'ailleurs pas d'un assassinat mais d'une exécution !

Discrètement, le roi s'éloigne, quitte la fête et va retrouver dans son cabinet le maréchal d'Aumont et un magistrat royaliste, M. de Rambouillet. Il leur lit le rapport de Venetianelli.

Rambouillet veut faire arrêter Guise sur-le-champ. Mais comment trouver des gardes puis des témoins et des juges ? C'est impossible ! Le roi fait alors appeler « le brave Crillon ». Veut-il se charger d'exécuter le rebelle ? Le capitaine n'est pas un assassin et se dérobe.

Les Guises qui, eux aussi, entretiennent des espions parmi le personnel royal, sont vite au courant de ce conciliabule. Le Balafré tient à en avoir le cœur net. Le lendemain, il demande audience au roi. Par François Le Maréchal, maire de Bourges, venu voir Henri III ce même matin, nous connaissons les détails de la conversation entre les deux ennemis. La scène se déroule dans le jardin du château. Une bise froide fait tournoyer quelques rares flocons de neige.

— Couvrez-vous, mon cousin, dit le roi à Henri de Guise.

Après quelques paroles banales, le Balafré attaque et offre au roi sa démission de lieutenant général.

— Je vois bien, s'écrie-t-il, que l'honneur que Votre Majesté m'a fait en cette occasion, m'a valu de grands ennemis. Quoique je n'aie jamais eu d'autre intention que de vous bien servir, on a pris prétexte de cette faveur pour m'abreuver d'étranges calomnies...

Henri a bien du mal à garder son sang-froid. En une seconde, il voit le gouffre de la guerre civile s'ouvrir sous ses pas. Si le Balafré s'en va il y aura désormais trois France : *France huguenote* avec Henri de Navarre, *France ligueuse* avec Henri de Guise et, entre ces deux masse, la *France royale* avec Henri de Valois, le plus désargenté, le plus faible des trois Henri.

Mais Guise continue :

— Sire, pourquoi vous tairais-je qu'on m'a beaucoup averti ces temps-ci que vous me vouliez du mal ? Me faudra-t-il croire à la fin qu'il n'y a pas de fumée sans feu ?

Le roi parvient à retrouver son calme. Il faut ruser. Henri III n'est pas pour rien le petit-fils des Médicis ! Tout en prenant le bras du Balafré, il arbore un sourire doucereux :

— Mon cousin, tenez-vous vraiment compte des racontages tels qu'ont peut faire dans une cour ? Si je vous imitais, je vous répéterais que l'on m'a parfois mis en garde contre vos entreprises. Laissons cela, voulez-vous ! Croyez-vous que j'aie l'âme si méchante pour conspirer contre vous? Au contraire, je vous déclare qu'il n'y a personne en mon royaume que j'aime mieux que vous, ni à qui j'aie plus d'obligations et je le ferai paraître avant qu'il soit peu...

Guise le regarde, sceptique. Le Valois sent qu'il faut aller plus loin. Avec des larmes dans la voix, il s'écrie :

— Tout ce que je vous dis là, je le dis par grand serment. Je le jure par le corps de Notre-Seigneur, que je vais recevoir tout à l'heure, pendant la messe.

Le roi en sera quitte pour aller se confesser !... Mais lorsqu'il se retrouve seul dans son cabinet, de rage, il jette à terre son toquet. La colère passée, il se ressaisit :

— Allons ! dit-il, le désespoir ne sert à rien quand la prudence peut encore prévenir le danger.

Laugnac, le chef des *Quarante-Cinq* — la fameuse garde privée du roi contre laquelle peste tant le Balafré — Laugnac attend caché derrière une tapisserie. Il apparaît et regarde interrogativement le roi.

— C'est pour après-demain, dit Henri d'une voix étouffée. Oui !... le piège est prêt, mais le ressort est si fort qu'il faudra nous mettre à plusieurs pour le tendre.

⁂

Guise a cru en la sincérité du roi. Refusant d'écouter le cardinal qui lui affirme que l'on ne doit pas croire des affirmations prononcées le jour de la Saint-Thomas, le Balafré hausse les épaules et s'en va *s'esbaudir dans le lit de Charlotte de Noirmoutiers,* Charlotte de Sauve qui, elle aussi, avait trouvé le secret de l'éternelle jeunesse.

Le lendemain, Henri III et le duc se rencontrent au chevet de Catherine de Médicis qui, toussant à fondre l'âme, gardait le lit. Henri continue le jeu et sa mère elle-même s'y laisse prendre.

Le Valois fait au Guise *de grandissimes démonstrations de bienveillance* et lui offre *des fruits contenus dans son drageoir.*

— Et si vous m'offrez du poison ? demande le duc d'un ton plaisant.

— En ce cas je voudrais en mourir avec vous. Mordez la plus belle de ces friandises, j'en mangerai l'autre moitié.

— Ah ! Vous allez connaître les pensées de votre cousin, dit Catherine de Médicis.

— J'en serais fort aise, repartit le Lorrain. Sa Majesté verrait que ce sont celles de son plus grand ami...

— C'est un bon homme, déclarera Guise à son frère, quelques minutes plus tard. Il n'a pas l'âme méchante.

De toute la journée, les deux renards ne se quittent point... Cependant, la trappe se creuse.

Quel est le plan royal ?

Un attentat n'est possible à réaliser que lors d'une séance du Conseil.

— Le Balafré, avait déclaré le roi à ses officiers,

ne pénètre tout seul dans mes appartements que les jours où il assiste au Conseil parce que les membres de ce Conseil sont obligés de laisser leur suite au bas du grand escalier conduisant à la salle de réunion.

Afin de séparer le duc de ses gentilshommes, le roi décide que l'escalier sera occupé par la compagnie écossaise commandée par Larchant. Mais le Balafré ne sera-t-il pas étonné par ce déploiement de force ? Toute une machination est alors ourdie par Henri. Sur son ordre, le capitaine de Larchant ira présenter une requête au duc : ses soldats n'ont pas été payés et il suppliera Guise d'intercéder en leur faveur. Ainsi le Lorrain, le lendemain matin, ne sera pas surpris de voir les Ecossais de Larchant l'attendre au pied de l'escalier pour le remercier et lui rappeler sa promesse.

Néanmoins, il est préférable que la suite guisarde soit le plus réduite possible ; aussi, afin de faire avancer l'heure du Conseil, le roi feint-il de prendre la décision de partir le matin 23 pour sa maison de Lanoue, située à une lieue de Blois. Il se préparera là aux fêtes de Noël...

— Mon cousin, déclare-t-il au « condamné », nous avons beaucoup d'affaires sur les bras qu'il serait urgent d'expédier avant la fin de cette année. Pour ce, venez demain matin de bonne heure au Conseil. Nous nous en occuperons. Je vais m'absenter. Vous me manderez ce que vous avez résolu.

Ce départ matinal permet en outre au roi de demander innocemment à Guise de remettre les clés du château au capitaine des Gardes. Les carrosses devaient être dans le jardin dès quatre heures du matin et c'était la *très méchante heure* pour déranger le duc. Sans méfiance, le Lorrain tend les clés qui vont permettre le lendemain de fermer les portes aussitôt le duc entré dans le château.

Où traquerait-on la bête ?

Quelle était alors la disposition des appartements royaux ? Il est assez difficile de le dire exactement. Au XVIIe siècle, le château fut remanié par Gaston d'Orléans. Puis devenue caserne, la demeure royale fut abandonnée à l'administration militaire qui se livra aux « aménagements » dont elle possède le secret...

Pourtant les travaux de Pierre de Vaissière nous permettent d'affirmer que la *salle du Conseil* devait être à l'époque plus petite qu'elle ne l'est aujourd'hui et que la *chambre du roi* se trouvait être sensiblement plus grande.

« Le duc de Guise, a écrit Pierre de Vaissière, arrivé dans la salle du Conseil et ayant laissé sa suite à la porte, le roi comptait le faire appeler dans son *Cabinet Vieux* où il devait feindre de l'attendre alors qu'il resterait enfermé dans son *Cabinet Neuf...* »

Ayant quitté la *Chambre du Conseil* (*A''*) le duc devait pénétrer dans la *Salle des Gardes* (*A'*) qui ne fait qu'un, aujourd'hui, avec la *Chambre du Conseil.* Là, pour passer dans le *Cabinet Vieux* (*C*) le « condamné » devait franchir le passage *c c'* qui existe toujours. En effet la porte *b* ouvrant directement de la *Salle des Gardes* sur le *Cabinet Vieux* avait été condamnée sur l'ordre d'Henri III. Pour rejoindre le roi, sensé se trouver dans le *Cabinet Vieux,* le duc de Guise n'avait la ressource que de passer par la chambre royale (*D*) et, de là, par le passage aujourd'hui condamné, de gagner le *Cabinet Vieux.* Les tueurs se trouveraient massés à la fois en *D,* en *a* et en *C.*

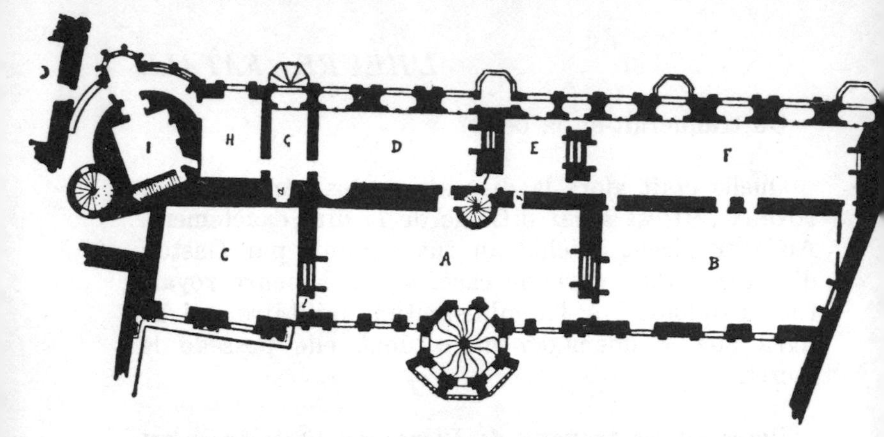

PLAN ACTUEL DU DEUXIÈME ÉTAGE DE LA PARTIE DU CHATEAU DE BLOIS, DITE DE FRANÇOIS Ier

(d'après Pierre de Vaissière)

A. Chambre du Conseil.
B. Chambre de la reine.
C. Cabinet Vieux (faisant partie maintenant de l'aile Orléans).
D. Chambre du roi.
E. Cabinet Neuf.
F. Vaste pièce.
G. H. I. Petites pièces.

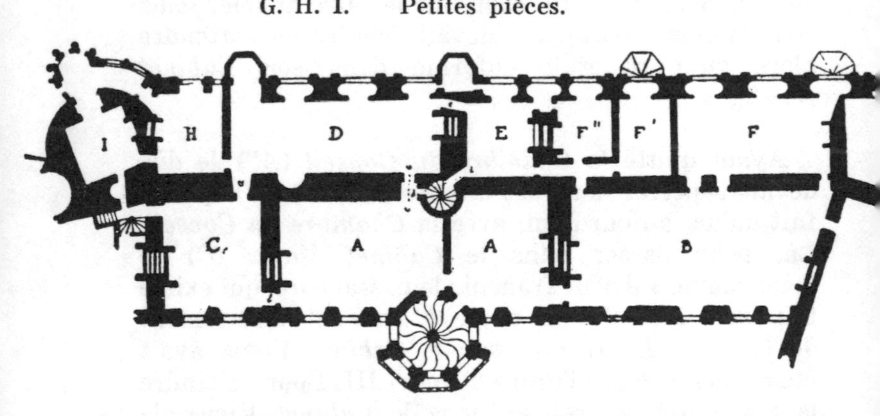

PLAN RESTITUÉ DU DEUXIÈME ÉTAGE DE LA PARTIE DU CHATEAU DE BLOIS, DITE DE FRANÇOIS Ier, EN 1588.

(d'après Pierre de Vaissière)

A' Salle des Gardes.
A" Salle du Conseil.
B. Chambre de la Reine.
b Ouverture condamnée faisant communiquer la Salle du Conseil avec le Cabinet Vieux.
c-c' Passage.
a Petit abri où attendraient les tueurs.

— Messieurs, nous avons accompli notre tâche humaine ! acheva le roi, après avoir expliqué son plan à ses officiers. Prions Dieu de faire la sienne. J'espère que ni renard, ni lion ne sauraient s'échapper du traquenard que nous venons de préparer.

*
**

Ce même soir, le duc de Guise se trouve auprès de sa mère, Mme de Nemours, qui demeure dans un vieil hôtel situé sur l'autre vive de la Loire. De tous côtés on est venu prévenir la duchesse que le roi méditait de faire assassiner son fils. Aussi son premier mot est-il de supplier Henri de partir pour Amboise où ses partisans sont nombreux. Le duc d'Elbeuf expose son plan :

— Le roi ne pourra vous déclarer rebelle car nous aurons pris soin auparavant de vous faire proclamer régent par les Etats. Régent vous déposeriez le Valois et prendriez sa place.

Le Balafré continue de sourire. Il ne croit pas au danger. La duchesse insiste :

— Les Valois ont ramené d'Italie le goût de se tirer d'embarras par le guet-apens. J'ai beaucoup pleuré, mon fils, dans mon existence. Je ne voudrais pas finir mes jours, comme je les ai commencés, dans le deuil...

Guise, toujours souriant, se lève pour prendre congé. Charlotte l'attend et ce soir il ne veut penser qu'à l'amour !

— Avant un mois, soupir Mme de Nemours, tandis que son fils s'incline devant elle, vous serez mort ou roi.

— J'en accepte l'augure !

Et avec son toquet d'où pend une plume rouge, il fait de grands saluts en marchant à reculons vers la porte.

Un peu plus tard, au moment de se mettre à table avec Charlotte de Sauve, on raconta qu'il trouva à sa place une lettre anonyme l'avisant que le roi s'apprêtait à le faire poignarder. Fanfaron, il lut, dit-on, le billet à sa maîtresse puis écrivit au travers de la feuille les deux mots fameux : *Il n'oserait.*

Vers trois heures du matin, passablement fatigué, il quitta sa maîtresse et regagna sa chambre. « Il s'endormit, devait écrire Châteaubriand, cherchant dans le sommeil le renouvellement de ses forces, usées aux voluptés de cette même nuit qui vit préparer sa mort. Il allait entrer dans une nuit plus longue, où il aurait le temps de se reposer, prêt à tomber qu'il était, des bras d'une femme dans les mains de Dieu. »

⁂

Il est quatre heures.

Selon les ordres qu'il a reçus la veille, le valet de chambre du roi va frapper à la porte des appartements de la reine où Henri a passé la nuit. La dame de Piolant, de service cette nuit-là, ne veut pas ouvrir.

— Le roi dort et la reine aussi.

Le valet de chambre insiste :

— Eveillez-le. Il me l'a commandé et je heurterai si fort que je les éveillerai tous les deux.

Henri qui n'a guère fermé l'œil entend le bruit des voix.

— Piolant, appelle-t-il, ça, mes bottines, ma robe et mon bougeoir.

Le roi se lève. La douce reine Louise n'ose poser de questions.

A quatre heures et demie, Henri retrouve ceux à qui il a donné rendez-vous : Laugnac, Aumont, Rambouillet, Maintenon, François d'O, Ruzé, Louis Revol, Balsac, Alfonso Corso, officiers, maréchaux ou mignons, prêts à tout pour sauver leur roi.

Les *Quarante-Cinq* — ils ignorent encore les motifs de cette réunion matinale — attendent déjà dans la *galerie des Cerfs*. Laugnac descend par un petit escalier à vis et fait monter un à un les gentilshommes de la garde particulière du roi. Il les pousse dans *une petite chambre proche celle du Roy* — sans doute la chambre *H*.

Lorsqu'ils sont tous réunis la porte du cabinet s'ouvre. Le roi entre. Ce matin-là, Henri III ne ressemble pas à un fantôme ! Il n'a rien non plus d'un efféminé endiamanté ! C'est le roi majestueux, altier et fier.

— Messieurs, déclare-t-il d'une voix grave, vous savez tous les insolences et les injures que j'ai reçues du duc de Guise depuis quelques années, lesquelles j'ai souffertes jusqu'à faire douter de ma puissance et de mon courage... Aujourd'hui, je suis réduit à telle extrémité qu'il faut que ce matin il meure ou que je meure.

A-t-il réellement prononcé ces paroles ? Les chroniqueurs du temps l'affirment et la chose est plausible. Les *Quarante-Cinq* auraient alors poussé quelques retentissants *Cape de Dious !*

Le roi les calme d'un mot. Si la reine mère qui dort à l'étage au-dessus les entend, tout est perdu !

— Voyons, qui de vous a des poignards ?

On en compte huit. Laugnac et Bellegarde partent dans une pièce voisine et reviennent avec une brassée de dagues bien aiguisées.

— Qui en veut ? demande le roi.

— Moi ! Moi !

Tandis que les *Quarante-Cinq,* devenus trop bruyants, sont consignés dans la petite pièce qui avait été aménagée à l'étage supérieur pour les Capucins du roi, Henri III se confesse, entend la messe et communie.

Il est maintenant sept heures du matin.

Les « tueurs » quittent leur cachette. Huit, sur les ordres de leur capitaine, vont prendre place dans la chambre royale, douze restent dans le *Cabinet Vieux*, trois se postent dans le petit escalier conduisant au premier étage, d'autres occupent le petit passage, enfin les deux plus fines lames restent auprès du roi, en son *Cabinet Neuf*. Mais Henri ne tient pas en place. Sans cesse il fait la navette entre sa chambre et son *Cabinet*. De temps en temps il passe près du Crucifix, s'arrête, et on l'entend murmurer :

— *Jesu ! Maria !*

Le jour n'est pas encore levé lorsque Jean Péricard, secrétaire du Balafré, va réveiller son maître. Il fait froid. Le duc, fatigué par sa nuit, se fait frotter tout le corps avec de l'eau de Hongrie, puis revêt un costume de satin gris bien léger pour la saison. A peine Guise est-il passé dans son cabinet, pour étudier les affaires qui seront, tout à l'heure, traitées au Conseil, qu'un envoyé vient le chercher au nom du roi. Là-bas, Henri III s'impatiente... Et il faudra un second appel pour forcer le duc à prendre son épée et son manteau.

Suivi de Péricard, Guise quitte son hôtel. Le soleil est levé, c'est le jour *le plus obscur, le plus sombre et le plus ténébreux qui fût jamais vu.* On y voit à peine. Le brouillard saisit les deux hommes à la gorge et la pluie se met à tomber avec violence.

— Courons, dit Péricard, sans quoi nous serons trempés.

— Oui, réplique Guise, mais je n'ai jamais accoutumé de sortir de mon cabinet sans premièrement avoir prié Dieu. Je ne me souviens point d'y avoir failli sans en avoir ressenti en mon âme un extrême regret. Aujourd'hui moins qu'un autre jour, je ne voudrais être privé de ce secours.

— Entrons alors dans la chapelle Saint-Calais, propose Péricard.

La petite église est fermée et le duc fait ses dévotions devant la porte sans se soucier du vent et de la pluie.

Au moment où le Balafré pénètre dans la cour intérieure du château, un gentilhomme veut le mettre en garde.

— N'allez pas outre ! La mort vous attend.

— Bien gardé est ce que Dieu garde ! réplique le duc en souriant. Il y a longtemps que je suis guéri de cette appréhension.

Et Guise entre dans le château.

Les Ecossais de Larchant rendent les honneurs. Le capitaine, selon la consigne, supplie le duc de ne pas oublier sa promesse et Guise promet d'intercéder en faveur de ces « pauvres diables ». Aussitôt le « condamné » passé, les soldats abaissent leurs hallegardes, Crillon va fermer les portes et poster des sentinelles à toutes les issues.

La trappe est levée !

Suivi de Péricard — ses fonctions de secrétaire aux Finances lui permettent de siéger au Conseil — le duc pénètre dans la pièce (*A*). Il n'y a encore là que ceux qui sont dans le secret et dont le cœur bat à se rompre : Aumont, Rambouillet, Maintenon et d'O. Pas un « guisard » ! Le duc paraît surpris, mais bientôt il se tranquillise en voyant entrer son frère le cardinal, Gonti évêque de Paris, le garde des Sceaux Montholon et le cardinal de Vendôme.

Le duc n'a pas eu le temps de déjeuner. La tête lui tourne et il demande à Péricard d'aller lui chercher son drageoir qui contient des raisins de Damas.

Le secrétaire sort... mais tarde à revenir. Henri

de Guise, afin de dissiper son malaise, ouvre la fenêtre, respire l'air humide et froid et reçoit quelques gouttes de pluie glacée sur le visage. Péricard ne revenant toujours pas, le duc avise le valet de chambre du roi et lui demande de lui apporter quelque bagatelle, telles ces fameuses prunes de Brignoles dont Henri III fait usage.

Il a froid maintenant et s'approche de la cheminée.

— Le cœur me fait mal. Que l'on fasse du feu !

Les flammes s'élèvent mais, soudain, le duc se met à saigner du nez... Il paie les fatigues de sa nuit.

Pendant ce temps, au pied de l'escalier, se joue le prélude du drame... Les archers qui ont laissé sortir Péricard refusent de le laisser rentrer, et c'est un huissier qui se charge d'apporter le drageoir.

— Quelle extravagance ! s'écrie le Balafré. Allez me chercher mon secrétaire.

Mais l'huissier se garde bien d'obéir.

Le duc sent soudain peser sur lui un isolement auquel il n'est pas accoutumé. Une certaine inquiétude transparaît dans son regard. Le secrétaire Ruzé, afin de cacher son trouble, se met à lire la liste des affaires du jour. Le duc s'assied, écoute la voix monocorde.

La porte, conduisant à la chambre du roi, s'ouvre. Pâle, le secrétaire d'Etat Revol entre dans la pièce et se dirige vers Guise.

— Monseigneur, le roi vous demande. Il est dans son *Cabinet Vieux*.

Puis Revol, avec une hâte étrange, disparaît par où il était entré.

Le duc se lève. Il met dans son drageoir quelques-unes des prunes de Brignoles que le valet de chambre lui avait apportées, puis, d'un geste désinvolte, lance les autres sur la table.

— Messieurs, qui en veut ?

Il enroule son manteau autour de son bras *comme s'il eût niaisé,* salue en agitant son chapeau selon un geste plaisant qui lui est familier et, la porte *b* étant condamnée, se dirige vers le petit passage *c-c'* qui, par la chambre du roi, lui permettra de gagner le *Cabinet Vieux*.

— Adieu, Messieurs, lance-t-il en franchissant la porte.

Quelques pas le mènent à la chambre du roi. Les *Quarante-Cinq,* qui feignaient de jouer aux dés se lèvent avec bruit et saluent. Seul Laugnac reste assis.

— Cette chambre, je le vois, ironise le duc, est un lieu de tout repos, où l'on se délasse agréablement en attendant le départ de Sa Majesté.

Personne ne répond. Dans son *Cabinet Neuf* le roi a entendu... Son cœur bat à grands coups. En dépit du froid la sueur perle sur son front. Le Balafré prend à gauche et s'avance alors vers la tapisserie qui masque l'entrée du petit couloir conduisant au *Cabinet Vieux* (*a*). Il se baisse — il a près de deux mètres — et pénètre dans le passage. Les *Quarante-Cinq* le suivent comme pour lui faire honneur. Soudain le duc s'arrête. A l'autre bout du couloir, dans le *Cabinet Vieux* où le roi était censé l'attendre, il voit un autre groupe de gentilshommes. Indécis, pressentant peut-être le guet-apens, il se retourne à moitié en caressant sa barbe de sa main droite, selon un geste habituel, et jette un regard sur ceux qui le suivent. Les *Quarante-Cinq* ont un moment d'hésitation, mais presque aussitôt se ressaisissent et, sur un cri de Laugnac, les deux groupes — celui de la chambre et celui du *Cabinet Vieux* — se ruent sur le Balafré essayant de lui paralyser bras et jambes. Il ne peut tirer son épée. Cependant, tel un géant se débarassant des pygmées, *il secoue ses bras,* se libère de la grappe de ses ennemis et fait un pas vers la chambre du roi.

— Il va nous échapper ! crie Laugnac. Frappe ! frappe !

Monferry, le bras levé, donne le premier coup de poignard :

— Ah ! traître ! Tu en mourras !

Le Balafré est atteint à la gorge, mais cela ne l'empêche pas de crier d'une voix forte :

— Eh ! mes amis, à l'aide !

— Ah ! On tue mon frère ! s'exclame le cardinal dans la *salle du Conseil,* et le prélat se rue, non au secours du Balafré, mais vers l'escalier.

— Ne bougez pas, mort-Dieu ! lui ordonne le maréchal d'Aumont. Le roi a affaire à vous. Asseyez-vous !

Le cardinal va se rasseoir tout en entendant, de l'autre côté de la lourde porte aux ventaux de chêne, le trépignement des pas, le choc des corps, le bruit du drageoir de porcelaine se brisant sur la figure d'un assaillant, les cris de bête qu'on égorge...

— A ! messieurs ! Ah ! messieurs ! râle le Balafré tout en recevant les coups.

Une véritable scène de boucherie se déroule dans la chambre. Tous frappent sans relâche, mais le Guise ne tombe pas. Tel un animal blessé traînant à sa suite une meute, il va et vient de la chambre du roi au *Cabinet Vieux,* maculant de sang murs et tapisseries. Il est bientôt percé de dix blessures : deux à la nuque, une au front, une au sein droit, deux aux reins, quatre *à la mamelle gauche.* Tout en se débattant, il ne cesse de crier :

— Ah ! messieurs, quelle trahison ! quelle trahison !

Perdant son sang en abondance, le duc s'arrête au milieu de la chambre. Va-t-il tomber ? Titubant un peu, cherchant ses aplombs, il reste là, répétant toujours et de plus en plus faiblement :

— Ah ! quelle trahison ! quelle trahison !

Du Gast s'approche. Il va donner le coup de grâce. Il enfonce son poignard jusqu'à la garde dans l'estomac du malheureux ; mais le Lorrain ne tombe pas. Angoissés les assassins reculent. Le duc, les bras tendus, les yeux éteints, la bouche ouverte, s'avance en titubant vers Laugnac qui s'appuie à un coffre. Le capitaine des *Quarante-Cinq* ne se donne même pas la peine de dégainer. Du fourreau de son épée, il repousse violemment le moribond. Le duc recule, perd l'équilibre, cherche un point d'appui, une seconde se raccroche à une tapisserie, puis à un saillant de la muraille qu'il marque de son sang, enfin il tombe.

C'est fini !

L'agonie, cependant, se prolongera encore durant une demie-heure. Les *Quarante-Cinq,* les gentilshommes fidèles au roi viennent se pencher au-dessus de ce grand corps qui tressaille et d'où s'exhale un faible râle.

— Monsieur, crie Bellegarde, cepandant qu'il vous reste une étincelle de vie, demandez pardon à Dieu et au roi.

On entend distinctement l'agonisant murmurer :

— *Miserere mei, Deus.*

Puis, il a la force de mettre son poing sur la bouche comme s'il voulait empêcher ses lèvres de demander pardon à Henri.

Dans son *Cabinet Neuf* le roi attend. Fébrile, il se rend jusqu'à la pièce où il avait ordonné à deux de ses aumôniers de prier Dieu *afin qu'il puisse venir à bout d'une exécution qu'il désirait faire pour le repos de son royaume.* Les prêtres ont obéi, ils sont en prière. Le roi revient vers le passage étroit conduisant à sa chambre. Il appelle l'un des tueurs... A-t-il expiré ? Non ! Le duc n'a pas encore rendu le dernier soupir.

— Il faut en terminer, répète le roi, j'ai hâte d'annoncer ma délivrance.

Finalement il ouvre la porte, écarte la tapisserie qui sépare le *Cabinet Neuf* de la chambre à coucher et s'arrête sur le seuil. A quelques pas de lui, il voit le grand corps étendu, les bras en croix, dans une flaque de sang... Henri III pâlit, titube...

— Est-il mort ? demande-t-il enfin d'une voix angoissée.

François Fontaine, un valet des gardes, se met à genoux et colle son oreille sur la bouche du Balafré.

— Sire, dit-il en se relevant, il tressaille encore un peu, mais ce n'est plus qu'un hérissement de la chair. L'âme n'est plus.

Le roi respire profondément. Il regarde les assistants d'un air joyeux. Puis pirouettant sur lui-même, il ordonne :

— Fouillez ses poches !

Dans la bourse, on trouve un billet de la main du duc de Guise :

Pour entretenir la guerre en France, il faut sept cent mille livres tous les mois.

Le Lorrain, par-delà la mort, justifiait l'acte du roi.

Henri III, faisant le tour du cadavre, s'est-il alors exclamé : « Mon Dieu, qu'il est grand ! Il est encore plus grand mort que vivant » ?

On a affirmé également que le roi avait frappé du pied le visage du Balafré en s'écriant :

— Ainsi que tu l'as fait à l'amiral couché sur le pavé de la rue lors de la Saint-Barthélémy !

La légende — et elle est tenace ! — l'affirme. L'Histoire en doutera toujours.

⁂

On liquide maintenant la situation. Dans les galeries, dans les jardins, on ne rencontre que des groupes d'archers conduits par des exempts en entourant les principaux ligueurs et députés des Etats, guisards ennemis du roi. Le premier, le cardinal a été appréhendé et, en compagnie de l'archevêque de Lyon, jeté dans un galetas sous les combles du château.

Rayonnant, le roi est descendu chez sa mère :

— Me voici roi de France... J'ai tué le roi de Paris!

La phrase a bien l'aspect d'un mot apocryphe ! Quoi qu'il en soit, Catherine regarda son fils avec épouvante, mais n'osa rien lui dire. Sa bronchite lui servait d'excuse et elle s'enfonça sous ses couvertures. N'était-elle pas en grande partie responsable de la puissance des Guises ?

Puis Henri III, le mantelet doublé d'or sur les épaules, le toquet à plume coquettement posé sur l'oreille, rajeuni, l'œil brillant, descendit entendre la messe pour remercier Dieu. *Il s'avançait,* précise un témoin, *avec l'aisance qu'avait eue son rival et dont il semblait l'avoir dépouillé pour s'en parer au moment même où il lui ôtait la vie.*

Le roi montra de la modération :

— Ne me croyez pas devenu un tyran altéré de sang. Je n'ai fait que me défendre et affirmer les droits de ma dynastie. Pour vous prouver que je veux désormais borner là ma vengeance, je vous prie d'écrire à Tachy et à Saint-Paul, que je sais grands amis des guisards et leur mander que je les appellerai volontiers à mon service...

Pendant ce temps, les députés du tiers qui avaient été arrêtés, attendaient le roi dans sa chambre où *ils virent un grand tas de sang fumant.* Puis, raconte un témoin, *vint un valet de garde-robe avec un flacon d'argent plein d'eau et un balai qui nettoya ledict sang.*

— Ne l'avez-vous point vu ? demanda quelqu'un à voix basse.

— Qui ?

— Monsieur de Guise... Il n'est pas à trois pas

de vous tout roide, mort en cette ruelle. Il est couvert d un vieux tapis.

Le roi ne pouvait agir de même avec le cardinal de Guise. Pourtant l'assassinat du duc demeurerait inutile si le cardinal restait en vie. Même enseveli dans un cul-de-basse-fosse, la seule existence du frère du Balafré déclencherait la guerre civile.

Henri III hésita durant vingt-quatre heures. On tue plus facilement un duc qu'un prince de l'Eglise, ami du pape ! Finalement, le 24 à trois heures du matin, veille de Noël, il donna l'ordre à Du Gast de monter dans les combles avec quatre hommes qui, moyennant deux cents livres chacun, avaient accepté *d'exécuter le cardinal.*

François Fontaine précède les égorgeurs :

— Monsieur, le roi vous demande, déclare-t-il à Monseigneur de Guise *avec une grande révérence.*

A peine le prélat a-t-il fait quelques pas dans la galerie que les assassins lui mettent un *cordeau au cou* et lui *ostent sa robe de velours violet fourrée d'hermine.* Le cardinal a compris. Il se met à genoux contre la muraille, un bras devant son visage, et, une seconde plus tard, s'écroule percé de coups de hallebardes et d'épées.

Douze heures plus tard, le cadavre était toujours au même endroit, *près duquel corps les souillons de cuisine, les pages et les laquais passoient et repassoient avec leurs insolences accoutumées.*

Henri III fit présenter ses excuses au pape, puis avec ses chapelains, tandis que les deux corps étaient depecés, brûlés et leurs cendres jetées dans la Loire, il se mit en prière, récitant le *De Profundis* à la mémoire de messieurs de Lorraine.

XII

LA GRANDE HEURE

Le 4 janvier 1589 au soir, la tempête souffle sur Blois avec rage. Le vent s'engouffre dans les vastes cheminées et rabat la fumée des feux dans les chambres. Les volets claquent...

La reine Catherine, la régente Catherine, la mère de trois rois de France se meurt. *Elle a une très grande fièvre,* écrivait ce même jour un ambassadeur, *et, quoique les médecins l'appellent une fièvre de rhume sans danger, toutefois, l'âge avancé de la malade et sa rechute inspirent de grandes craintes.*

Le lendemain, elle fait son testament, léguant Chenonceaux à la reine Louise. Chacun reçoit son legs. Seul, son gendre Henri de Navarre l'hérétique, et sa femme la reine Margot, sont exclus. *Ladite dame testatrice,* écrivent les deux notaires royaux, *a déclaré ne pouvoir signer pour débilité.*

La reine, néanmoins, semble encore vaillante. D'ailleurs elle ne s'inquiète guère. Nostradamus et

Ruggieri lui ont souvent prédit qu'elle mourrait « près de Saint-Germain ».

Blois en est loin !

Vers une heure — ce 5 janvier — Henri III demande cependant à sa mère de recevoir les derniers sacrements. Un aumônier du roi qu'elle ne connaît pas entre dans la chambre.

— Comment vous appelez-vous ? demande Catherine.

— Julien de Saint-Germain.

— Je suis morte ! dit la reine dans un cri.

Une demi-heure plus tard, elle rendait l'âme. A son chevet Henri III priait, égrenant son chapelet à tête de mort...

Paris aux mains de la Ligue empêchait les funérailles à Saint-Denis. On confia le corps à l'église Saint-Sauveur de Blois... Mais la ville ne comptait point d'embaumeurs et l'odeur fut bientôt si forte que celle qui avait été la plus fastueuse reine de la chrétienté dut être enterrée précipitamment.

Bien plus tard, sous Louis XIII, une fille naturelle de Henri II, Diane de France, duchesse de Châtellerault, se souviendra de la vieille reine et ainsi, grâce à la bâtarde de son mari, Catherine retrouvera à Saint-Denis le corps de son époux.

Un poète satirique composa cette épitaphe :

La Reine qui ci-gît fut un diable et un ange,
Toute pleine de blâme et pleine de louange :
Elle soutint l'Etat et l'Etat mit à bas.
Elle fit maints accords et pas moins de débats,
Elle enfanta trois rois et cinq guerres civiles,
Fit bâtir des châteaux et ruiner des villes.
Fit bien de bonnes lois et de mauvais édits.
Souhaite-lui, passant, Enfer ou Paradis.

⁂

— Je suis roi maintenant ! s'exclama Henri au lendemain du double assassinat des Guises et de la mort de sa mère.

Il l'était moins que jamais !

A Paris, on brisait les armoiries de Henri III, on renversait à l'église Saint-Paul les mausolées de ses mignons. La Ligue était devenue révolutionnaire... Mayenne nommé, par la Ligue, *lieutenant général* de l'Etat et, par le roi traité de *traître et félon,* approcha de Tours et à Saint-Ouen, près d'Amboise, mit en déroute la cavalerie royale...

Henri III, pris d'apathie après le grand effort de la semaine de Noël, laisse faire... *Il va si nonchalement en besogne,* ainsi que nous le dit l'Estoile, *qu'il va perdre Orléans. Il méprise tellement toutes choses que dedans six semaines il se voit réduit au royaume de Tours, Blois et Beaugency.*

Depuis l'époque où la royauté s'est installée au Val de Loire, la France n'a connu d'heures aussi graves !

C'est alors que le futur Henri IV fit entendre sa voix :

— Nous avons tout assez faict et souffert de mal, déclare-t-il aux Etats de Châtellerault. Nous avons été quatre ans insensés et furieux. N'est-ce pas assez ? Je vous appelle comme Français ! Je vous somme que vous ayez pitié de cet Etat...

Le remède ?

— Nul autre que la paix ! La paix qui remet l'ordre au cœur de ce royaume...

Navarre écrit au roi. Ce *vrai François,* ainsi qu'il se qualifie lui-même, a su fort adroitement émailler sa lettre de paroles de soumission et de respect à *son Seigneur.*

Henri III fut tenté, puis conquis... Il n'avait d'ailleurs plus d'autres ressources que de demander secours aux protestants. Il envoya à Henri de Navarre un négociateur. Le Béarnais avait si souvent été berné qu'il s'inquiéta tout d'abord un peu.

— Estimez-vous que le roi a bonnes intentions en mon endroit et qu'il veuille traiter de bonne foi avec moi ? demanda-t-il avec une appréhension bien compréhensible.

— Vous n'en devez nullement douter, Sire, répondit franchement l'ambassadeur, car la nécessité de ses affaires l'y contraint, n'ayant aucun remède en ses dangers que votre assistance.

Mais on n'efface pas treize années de lutte aussi facilement ! Aussi ce rapprochement, tant attendu, tant espéré par la France, fut-il long et laborieux.

« Nous sommes à Montbazon, écrit le Béarnais à la comtesse de Clermont, près de Tours où est le roi. Son armée est logée presque à deux lieues de la nôtre, sans que nous nous demandions rien ; nos gens de guerre se rencontrent et s'embrassent au lieu de se frapper, sans qu'il y ait trêve ni commandement exprès de ce faire. »

Après une dernière hésitation, Henri de Navarre, nous dit l'Estoile, *s'arrêta au proverbe qui dit que deux liens sont plus forts qu'un et qu'avec ses forces, se tenant sur ses gardes, il empêcherait bien que le roi et les siens ne lui puissent nuire.*

Mais Henri III n'en avait nullement l'intention. Cette fois — pour la première fois peut-être — il est pleinement sincère ! Le 22 mars il réunit à Tours dans la *Salle Capitulaire* le Parlement chassé de Paris, dont tous les membres poussent le roi à s'unir avec le Béarnais.

Le 30 avril 1589, on vint annoncer à Henri III que l'armée huguenote se trouvait devant le Cher. Le roi quitte aussitôt le château du Plessis-lez-Tours et saute à cheval. Pour la première fois depuis treize années, il va revoir celui qu'il appelait, au temps de leur jeunesse, *Henriquet.*

L'entrevue a lieu dans le vaste parc du château s'étendant jusqu'à la Loire.

Il s'y trouva une telle foule, concours et affluence du peuple, écrit l'Estoile, *nonobstant tout l'ordre qu'on essaya d'y donner que les deux rois furent un grand quart d'heure dans l'allée du parc dudit Plessis, à se tendre les bras l'un vers l'autre, sans se pouvoir joindre et approcher, tant la presse y était grande, et le bruit des voix du peuple résonnait qui criait à grande force et exaltation :*

— Vive le roi ! Vive le roi de Navarre ! Vivent les rois !

Enfin, s'étant joints, ils s'entre-brassèrent très amoureusement, même avec larmes, principalement le roi de Navarre, des yeux duquel on les voyait tomber grosses comme des pois.

Il n'y avait plus ni huguenots ni catholiques, mais seulement des Français !

Le pays était sauvé !

Mayenne le sentira bien, lorsqu'une semaine plus tard, il sera obligé de *décamper* du faubourg Saint-Symphorien de Tours qu'il avait réussi à occuper après une brève *chauffourée. La crainte et terreur du seul nom du roi de Navarre ayant arrêté les fureurs de l'ennemi.*

Moralement la Ligue était déjà battue !...

⁂

Quelques instants après avoir reçu dans le ventre le couteau de Jacques Clément, Henri III, croyant au peu de gravité de sa blessure, écrivit un billet à sa chère reine Louise, alors à Chenonceaux, pour lui recommander de ne point « bouger de céans ». Une heure plus tard, Henri III remettait à Henri IV son royaume...

Louise décida de vivre à Chenonceaux. Elle fit tendre toutes les pièces de soie et de velours noir. Elle ordonna d'exécuter des boiseries noires sur lesquelles on peignit des larmes et des plumes... autrement dit des *pennes*, symbolisant la *peine* de la reine. Il subsiste encore à Chenonceaux des fragments de cet appareil de deuil. De même que l'on peut encore voir dans le grenier un pont-levis qui fermait la clôture d'une petite communauté de religieuses enfermées en ce lieu à la demande de Louise de Vaudémont, afin de prier pour l'âme du roi défunt.

XIII

L'HEURE DES TRAHISONS

Le mercredi 3 mai 1617, le jeune roi Louis XIII, en pourpoint blanc et chausses écarlates, pénétra au Louvre dans l'appartement de sa mère, la reine Marie de Médicis, seconde femme de Henri IV.

— Madame, lui dit-il d'un ton distant, je viens ici pour vous dire adieu. Il est temps de vous reposer. Je suis roi à présent. Vous aurez de mes nouvelles étant arrivée à Blois. Adieu, Madame, aimez-moi et je serai bon fils.

Et, sans ajouter un mot de plus, il tourna les talons...

Neuf jours auparavant — le lundi 24 avril — le roi avait conquis sa liberté et son royaume en faisant assassiner Concini, le favori de sa mère. De même que pour l' « exécution » du duc de Guise à Blois, la loi monarchique avait parlé ! Et ici il ne s'agissait pas d'un prince dont la France était amoureuse, mais d'un parvenu florentin, d'un faquin gorgé d'or et de titres !

Va-t'en à la male heure
Excrément de la terre !

s'exclamera Malherbe en s'adressant à Concini... ou plutôt à son cadavre.

Aujourd'hui, les restes de son favori jetés à la Seine, la reine n'avait plus qu'à disparaître ! La foule se pressait aux fenêtres du Louvre pour voir l'ex-régente monter en carrosse et les spectateurs cachaient mal leurs ricanements. Louis XIII regardait le spectacle *d'un visage si content et si royal,* raconte un témoin, *que jamais on ne l'avait vu en si belle humeur.*

La reine mit une semaine pour faire le voyage. Peut-être espérait-elle être rappelée par son fils... Elle entra à Blois seulement le 10 mai et s'installa dans les bâtiments élevés jadis par Charles d'Orléans (1).

Le début de sa « captivité » fut fort supportable. Marie de Médicis se trouvait entourée, comme au Louvre, de ses officiers, de ses filles d'honneur et ses soirées étaient égayées par une troupe de comédiens et de musiciens... Mais la reine ne pouvait vivre sans conspirer — c'était là son élément ! — aussi commença-t-elle à écrire force lettres destinées à l'Italie et à l'Espagne. Cependant les agents de Luynes — le favori du roi — veillaient. Ils découvrirent vite la correspondance secrète et le château de Blois se transforma aussitôt en prison. On mura portes et issues, tandis que les gardes reçurent l'ordre de sillonner toute la région et d'arrêter les suspects. Richelieu nous le dit dans ses *Mémoires,* les promenades de la reine furent limitées à la ter-

(1) Aile aujourd'hui détruite et qui occupait l'emplacement du château actuel de Gaston d'Orléans. Dès son arrivée, Marie de Médicis ordonne à son architecte Salomon de Brosse de faire construire un « petit pavillon » dont il ne reste plus aujourd'hui, dans un sous-sol, que les pierres de fondation.

rasse du château. Nul ne pouvait obtenir audience et voir la prisonnière sans une permission difficile à obtenir... du moins on l'affirme. On pensa même enfermer Marie au château d'Amboise qui paraissait plus sûr.

Au début, la Médicis prit son mal en patience. Il était impossible que le roi puisse lui faire subir longtemps un tel traitement ! Mais l'an 1618 s'écoula, s'acheva... sans apporter aucun changement. La situation pouvait s'éterniser ! Aussi la reine décida-t-elle de s'évader.

Le *Deus ex machina* de l'affaire fut un certain abbé Louis Ruccellaï, ou Ruccellay, qui avait été protégé autrefois par Concini. Ce personnage pittoresque qui tombait évanoui dès les premières chaleurs, qui l'hiver, attrapait rhume sur rhume et se calfeutrait chez lui, se transforma en conspirateur hardi et ingénieux. Il traversa vingt fois la France sous des déguisements les plus divers et par les temps les plus affreux. La réussite sera totale. Marie de Médicis parviendra à s'évader de Blois et l'abbé sera guéri à jamais de ses vapeurs et de ses éternuements.

La haine que Ruccellaï portait à Luynes fut un levier assez fort pour le faire sortir de sa coquille. Sa rancune le rendit même si adroit qu'il parvint à pénétrer dans le château de Blois, à voir la reine et à lui exposer son plan. Selon Ruccellaï, il fallait demander au duc de Bouillon de prendre la chose en main. Ce moyen permettrait à Marie d'aller se réfugier à Sedan dont le duc était maître. La mère du roi se rallia à ce point de vue et Ruccellaï partit bravement pour les Ardennes. Mais Bouillon prit peur ; il s'excusa en soupirant que son âge et ses rhumatismes l'empêchaient de jouer les conspirateurs. L'abbé aurait pu lui répondre que rien ne valait mieux pour la santé que de courir les grands chemins par la froidure ou la canicule, mais il préféra écouter le conseil que lui donnait le duc : s'adresser à Epernon, l'ex-mignon de Henri III, gouverneur de Metz et de l'Angoumois.

Ruccellaï, en suivant les directives du duc de Bouillon, avait du mérite, car le marquis de Rouillac, neveu du duc d'Epernon, lui avait un jour donné une volée de coups de bâton. Epernon avait ri à gorge déployée, lancé quelques mots d'esprit et l'abbé ne l'ignorait pas.

Aussi préféra-t-il tout d'abord envoyer à Metz son secrétaire, un certain Vincentio Ludovici, qui avait rempli des fonctions identiques auprès de Concini.

Le duc d'Epernon montra tout d'abord quelque hésitation : si l'affaire manquait, il risquait sa tête ; si elle réussissait, il risquait sa situation. Marie de Médicis pouvait fort bien un jour se réconcilier avec son fils et ce rapprochement se ferait vraisemblablement aux dépens de l'organisateur de la conspiration. Il faudrait bien que quelqu'un paie les pots cassés ! Aussi, après plusieurs entrevues, Epernon demanda-t-il à Vincentio que la reine lui fît savoir *quelles personnes de condition elle avait dans ses intérêts et quelle somme de deniers elle pouvait fournir pour soutenir les frais de la guerre.*

Ruccellaï repartit pour les bords de la Loire et parvint derechef à pénétrer dans le château. Ce diable d'abbé était d'une surprenante adresse ! Il put, quelques jours plus tard, confier à son secrétaire une lettre de Marie de Médicis donnant à Epernon les apaisements et les précisions qu'il demandait. Cependant tout faillit être découvert, car Vincentio, au cours de son voyage, se fit arrêter par la police royale et fouiller de la tête aux pieds. On se mit même à découdre toutes les doublures de son vêtement... sauf l'endroit où se trouvait la lettre.

Dieu était avec les conjurés ! Mais un tel miracle ne pouvait se reproduire deux fois ! Aussi Ruccellaï décida-t-il de s'occuper seul de l'affaire.

Lorsque le duc d'Epernon apprit que l'organisateur du complot était cet abbé égrotant et à pamoisons, il décida d'abandonner cette folie. Mais Ruccellaï fut habile et convaincant. Il démontra au duc qu'il se portait comme le pont Neuf, et bientôt — le lundi 22 janvier — Epernon, suivi de son bras droit Plessis, de cinquante gentilshommes armés chacun de deux pistolets et d'une carabine, de quarante gardes, mousquet au poing, sans parler d'officiers, de pages, de valets et de quinze mulets pour les bagages, quitta, sans la permission du roi, son gouvernement et prit la route de la Loire.

***

Dans la nuit du 21 au 22 février 1619, l'appartement de la reine mère présentait une grande agitation. Il y avait là l'écuyer de Marie de Médicis, le comte de Braine, deux exempts de ses gardes, une femme de chambre fort dévouée et le sieur Plessis chargé par son maître de faire sortir la reine du château. On ne sait trop comment l'*alter ego* du duc d'Epernon était parvenu à entrer dans le château. Lorsqu'on voit d'ailleurs la facilité avec laquelle on pénétrait dans cette forteresse, paraît-il si bien gardée, il semble que les écrivains du temps aient quelque peu exagéré la situation de la reine. C'est sans doute également pour jouer la persécutée que Marie de Médicis avait décidé de s'enfuir par la fenêtre... Or cette fenêtre dominait d'une quinzaine de mètres les fossés du château (1). La mère de Louis XIII était alors une bien grosse dame et l'on devine le danger que présentait l'opération...

(1) Aujourd'hui rue des Fossés-du-Château.

*
**

Entre minuit et une heure, un homme franchissait le pont de Blois et arrivait au pied du château. Une première échelle était déjà dressée qui permettait d'atteindre la terrasse, tandis qu'une seconde, appuyée contre le mur de la façade, menait jusqu'à la fenêtre de la reine. On voit combien ce château, soi-disant ceint de patrouilles, était bien surveillé...

Paisiblement, l'homme grimpa, atteignit la fenêtre et frappa au carreau.

— Qui va là ?

— L'homme de Floze !

C'était « *le jargon* », autrement dit le mot de passe. On ouvrit à « l'homme de Floze » qui avait nom Cadillac et était le valet de chambre du duc d'Epernon. Il venait annoncer que tout se trouvait en ordre. Le carrosse de la reine attendait déjà de l'autre côté du pont, un détachement de cavaliers stationnait à Montrichard et Epernon occupait Loches avec trois cents gentilshommes.

Serrant amoureusement dans ses bras sa cassette de diamants, la reine retrousse sa jupe, enjambe la fenêtre, mais refuse de descendre normalement. Au risque de se rompre le cou, elle effectue la descente le dos à l'échelle, comme s'il s'agissait d'un escalier...

La scène ne devait pas manquer de pittoresque !

Arrivée sur la terrasse, non sans avoir poussé de nombreux soupirs et de petits cris effarouchés, Marie de Médicis, morte de peur, déclare ne pas vouloir emprunter la seconde échelle. Toutes les adjurations sont vaines. Elle préfère s'asseoir sur son manteau plié en quatre et se laisser glisser, pour ne pas dire rouler, le long de la terre éboulée comme sur un toboggan.

Que nous voilà loin du tableau de Rubens, exposé

au Louvre, où l'on voit la reine quitter noblement le château !

Ayant à leur tour atterri dans la rue, Plessis et Braine prennent chacun par un bras Marie de Médicis et, tout en riant de l'aventure, suivis des exempts et de la femme de chambre descendent joyeusement vers le pont. Mais deux officiers, appartenant au château, montent la rue... Fort heureusement *ceux-ci, voyant une femme sans flambeau entre deux hommes, la prirent pour une femme de débauche. La reine l'ouït et dit en riant à Du Plessis :*

— *Ils me prennent pour une bonne femme !*

Rapidement le petit groupe s'engage sur le pont (1), mais sur l'autre rive l'on ne trouve point trace du carrosse annoncé. Tous se regardent atterrés. L'incertitude est brève... Un valet de chambre de la reine accourt essoufflé et annonce que la voiture a été mise dans une ruelle voisine, *afin qu'elle ne fût point aperçue par ceux qui auraient eu à passer le pont.* Quelques secondes plus tard, le lourd véhicule, suivant la levée, roule sur la route de Montrichard...

On n'est pas encore à Chailles que la reine pousse un cri :

— Ma cassette !

Elle contenait plus de cent mille écus de diamants ! Un des exempts fait demi-tour et retrouve la cassette par terre dans la ruelle...

A trois heures du matin, peu avant Montrichard, on tombe sur l'abbé Ruccellaï venu en avant-garde avec une quinzaine de cavaliers. Il annonce que, dans la petite ville, l'archevêque de Toulouse, qui est lui aussi du complot, attend en compagnie de quarante gentilshommes.

(1) Il n'existe plus. Il fut emporté en 1716 par les glaces.

Le prélat vient baiser la main de la reine, puis la voiture prend la route de Loches. Au Liège — la dernière poste avant Loches — se trouve Epernon qui s'avance vers la voiture et s'incline. *A cet abord ils se dirent toutes les meilleures paroles et se firent les plus affectueuses promesses qu'une princesse de cette condition pouvait donner à un serviteur qui avait si bien mérité d'elle.*

Le surlendemain de l'évasion, Louis XIII recevait une lettre du duc d'Epernon écrite de Loches en ces termes : « *Sire, incontinent après mon arrivée dans cette ville, j'ay eu le commandement de la Royne, mère de Votre Majesté, de la recevoir ici pour après la conduire à Angoulême... J'ai creu ne lui pouvoir refuser sans faire un grand manquement à ce que je dois à Votre Majesté.* »

Louis XIII n'aimait pas que l'on se moquât de lui ! « *Je châtirai si puissamment cette injure que le mal en tombera sur ceux qui se veulent couvrir en votre nom* », écrivit-il à sa mère.

Mais après cent péripéties, cent disputes, cent transactions, tout finit, bien entendu, par s'arranger. Un accord fut signé. La reine ne réintégrait pas sa prison et recevait le gouvernement de l'Anjou avec Angers, Chinon et les Ponts-de-Cé. Quant à Epernon, le roi voulait bien « *tout oublier* ».

C'est chez le duc de Montbazon au château de Couzières, non loin de Tours, que, le 5 septembre 1619, eut lieu la réconciliation entre Marie et son fils.

Louis XIII venait du Plessis, Montbazon accueillit son maître à l'entrée du parc et le conduisit dans le jardin où, tremblante et pas très fière, attendait la reine.

— Il y a longtemps que j'ai désiré vous voir, dit le roi.

Marie de Médicis est si émue qu'elle ne parvient pas à dire un mot. Finalement, elle soupire :

— Mon Dieu, que vous êtes grandi !

Après une heure et demie de conversation, ils montent tous deux en carrosse avec la jeune Anne d'Autriche, et tous trois font leur entrée dans Tours. Marie loge à l'hôtel de la Bourdaizière et, le 19, la mère et le fils se quittent. La reine s'en va vers Chinon et Louis vers Amboise.

Cependant la Médicis estime que le gouvernement de l'Anjou est bien peu de chose pour la veuve de Henri IV, ancienne régente de France ! Retirée à Angers, elle boude, désirant être réintégrée au Conseil. Le roi fait semblant de ne pas entendre... et Marie — il fallait s'y attendre — se lance dans une nouvelle conspiration, plus vaste que la précédente et dirigée plus particulièrement contre le duc de Luynes. Richelieu, qui se tient alors du côté des ennemis du roi, seconde la reine. Cette fois, elle exige le pouvoir, lève des impôts, publie un manifeste, rassemble des troupes.

La guerre civile commence. Le roi se met à la tête de l'armée royale et va livrer sa première bataille, une bataille contre sa mère !

La rencontre a lieu, le 7 août 1620, devant Angers. Il fait une chaleur torride. La reine *tient* les Ponts-de-Cé qui commandent le passage du fleuve. Mais son armée, pourtant supérieure en nombre, après quelques quarts d'heures de combat, est saisie d'une véritable panique. Leur rébellion fait-elle honte aux sodats de Marie de Médicis ? Ou bien fait-il vraiment trop étouffant pour se battre ? Toujours est-il que les partisans de la reine se débandent. A huit heures du soir, la Médicis est bien battue et cette *escarmouche de deux heures dissipa le plus grand parti qui eût été en France depuis plusieurs siècles,* affirme un écrivain du temps que l'exagération n'effraye pas ! Le roi va s'installer au petit château du roi René où nous avions vu autrefois demeurer Bussy. Marie de Médicis, affolée, voudrait voir son fils le plus tôt possible et obtenir la paix. Elle lui fait demander une entrevue, mais Louis XIII qui ne veut pas séjourner davantage auprès des jolies Ponts-de-Céiaises, — elles ont pourtant la réputation d'avoir l'humeur *godine !* — préfère donner rendez-vous à sa mère à Brissac où il va résider (1).

Le 13 août, le roi quitte le château pour se porter au-devant de sa mère. Dès qu'elle voit son fils, Marie descend de sa litière. La rencontre est infiniment moins cordiale que l'année précédente à Couzières. Les témoins remarquent que Louis XIII n'embrasse sa mère qu'une seule fois. Mais qu'importe ! La reine après ces trois années de querelles, de transactions et de luttes obtient enfin ce qu'elle voulait : l'entrée au Conseil.

La nouvelle *Guerre* folle était terminée.

Epernon qui avait, lui aussi, levé une armée, s'était dépêché de licencier ses troupes à l'annonce de la débandade des Ponts-de-Cé. Il obtint son pardon et fut reçu par le roi. Louis XIII le laissa à genoux devant lui durant plusieurs minutes, faisant semblant d'être distrait et de ne pas l'avoir vu entrer dans la pièce.

Ce fut sa seule vengance.

(1) La nouvelle et somptueuse demeure de Charles de Cossé, maréchal de Brissac, avait été élevée au bord de l'Aubance par Jacques d'Ambluze, fils de l'architecte de Fontainebleau. Le château — peut-être le plus beau de l'Anjou — se visite toujours. Il contient de splendides tapisseries. La salle des Gardes mesure trente-deux mètres sur sept.

⁂

En 1652, les habitants de Blois virent s'installer au château leur triste sire : Gaston d'Orléans, le dernier comte de Blois. Le frère de Louis XIII est assurément le plus médiocre et le plus vil prince de l'Histoire de France. Durant vingt-six années, ainsi que l'a écrit le cardinal de Richelieu, il était entré « *dans toutes les affaires* — entendez contre l'Etat — *parce qu'il n'avait pas la force de résister à ceux qui l'y entraînaient* ». Il en était toujours sorti avec honte « *parce qu'il n'avait pas le courage de les soutenir* ».

La vie de cet agité, de ce « petit nerveux », n'avait été qu'une longue conspiration : conspiration contre son frère Louis XIII dont il avait voulu prendre la place et la femme ; conspiration contre Richelieu qu'il voulait faire enlever et massacrer ; conspiration contre la Régente, contre Mazarin, contre le jeune Louis XIV ; conspiration, enfin, pour ou contre la cour, pour ou contre Condé, pour ou contre Anne d'Autriche. Et, chaque fois, lorsque tout était découvert, Gaston se jetait à genoux, implorait, abandonnait ceux qui s'étaient perdus pour lui, rejetait tout sur ses complices et promettait de ne plus recommencer...

Le 31 mai 1626, il accepte de signer ce procès-verbal : *Monsieur a promis à Sa Majesté, non seulement de l'aimer, mais de le révérer comme son père, son roi, et son souverain seigneur. Il le supplie très humblement de croire qu'il ne lui sera jamais dit, proposé ou suggéré aucun conseil de la part de qui que ce soit.*

Jamais !

Quelques jours plus tard, il reçoit, la nuit dans sa

chambre, ce jeune écervelé de marquis de Chalais et prépare avec lui ce que Richelieu appellera *un exécrable attentat* et *la plus effroyable conspiration dont jamais l'histoire ait fait mention.* A la fin de ce même mois de juin, il veut fuir et combattre le roi... mais le 12 juillet, il trahit ses complices et livre à Richelieu tous les détails de la conspiration. En échange de sa trahison, il reçoit les duchés d'Orléans, de Chartres, et le comté de Blois !

Gaston a juré d'être loyal... Mais six semaines plus tard, fin août, on l'entend jurer *d'enlever le cardinal* et, en novembre 1630, suivi de douze gentilshommes, il hurle sous le nez de Richelieu des paroles de menace tout en agitant furieusement son épée. Epouvanté par sa hardiesse, il fuit à Blois puis, de là, à l'étranger. Le 16 mai 1631, toujours hors de France, Gaston adresse au Parlement de Paris une lettre où il fustige ce qu'il appelle *les débordements, l'effronterie et les crimes abominables du cardinal.* Il termine sa gracieuse lettre en traitant le premier ministre de son frère de *tyran formidable.*

Orléans entraîne Montmorency dans sa révolte, mais l'abandonne dès que le maréchal est arrêté. Quelques jours plus tard, Orléans fait sa soumission, tandis que la tête du maréchal roule sur la place du Salin à Toulouse. Gaston a promis *en parole et foi de prince de contribuer à tous les bons desseins que le roi a pour le bien et la grandeur de ses Estats. En outre,* il s'est *engagé à aimer particulièrement* son *cousin le cardinal de Richelieu* qu'il a *toujours* (sic) *estimé.* Mais, un mois plus tard, il se rebelle à nouveau, s'exile à Bruxelles, voue le premier ministre de son frère à tous les diables et conspire ouvertement contre la vie du cardinal en compagnie de Châteauneuf et de la duchesse de Chevreuse.

Cependant Gaston s'ennuie loin de France. Il demande pardon au roi, franchit la frontière et boit à la santé du cardinal-duc dans la première place qu'il rencontre sur sa route.

— Mon frère, lui dira le roi quelques jours plus tard, je vous prie d'aimer Monsieur le Cardinal.

— Je l'aimerai comme moi-même, répond Gaston les larmes aux yeux, et suis résolu à suivre ses conseils.

Et il embrasse Richelieu avec *grande affection.*

Quelques mois plus tard, il conspire de nouveau et, bien entendu, le premier but du complot est d'égorger le cardinal...

Mais arrêtons-nous !...

Continuer à voir tourner cette girouette de la trahison finirait par nous donner mal au cœur !

⁂

C'est le jeune Louis XIV qui, moins patient que son père, exila définitivement son oncle dans son domaine de Blois.

En 1635, Gaston avait jeté à bas l'aile construite au XVe siècle par Charles d'Orléans, ainsi qu'une partie des bâtiments de Louis XII et de François Ier. Il avait confié à Mansard le soin de construire un immense château, mais, faute d'argent, les travaux furent interrompus trois ans plus tard.

Ce qui a pu être élevé du plan initial ne manque pas de grandeur. Les pilastres — de style dorique au rez-de-chaussée, ionique au premier étage, corinthien au second — qui alternent avec les fenêtres encadrées de moulures et surmontées de mascarons, donnent une impression majestueuse.

Sans doute l'aile François Ier et l'aile Louis XII

nous touchent-elles infiniment plus, mais on fut cependant bien injuste envers le château de Gaston d'Orléans. Flaubert, entre autres, l'appellera « un corps de logis des plus bas avec son classique de collège et son goût sobre qui est assez pauvre ». C'est là quelque peu excessif !

⁂

L'intérieur du bâtiment n'ayant pas été aménagé, Gaston, lors de son dernier exil, s'installa dans l'aile François Ier, en compagnie de sa seconde femme Marguerite de Lorraine-Vaudémont. Celle-ci était d'une avarice sordide mais n'en mangeait pas moins toute la journée pour guérir ses « vapeurs »...

Gaston vécut là sept années ayant pour distraction de descendre la Loire en bateau, de chasser, de planter des variétés de roses ou de plantes *rares* à l'époque, telles que la tomate, la pomme de terre ou le tabac... Parfois, il allait jusqu'à Chambord qui faisait partie de son apanage, et c'est là, en 1659, qu'il devait accueillir Louis XIV et la cour.

Le Roi-Soleil, pour se rendre à Chambord, avait pris place dans le même carrosse que sa cousine germaine, Mademoiselle de Montpensier, fille de Gaston, dite la *Grande Mademoiselle.* Louis XIV s'était vêtu fort simplement afin de ne pas trop faire regretter à son oncle de vivre loin des magnificences de la cour.

— Je n'ai pas voulu mettre un autre habit, expliqua-t-il à sa cousine en souriant, ni décordonner mes chevaux parce que si je me parais, je donnerais trop de regrets à votre père, à votre belle-mère et à votre sœur. Je me suis fait le plus vilain que j'aie pu pour les dégoûter de moi.

Chambord était vaste, mais la cour était si nombreuse que Gaston d'Orléans, sans doute à l'instigation de sa femme, avait renvoyé tout son personnel à Blois, *ce qui fut cause,* nous dit la Grande Mademoiselle, *que l'on ne donna à manger à personne.*

La soirée, le ventre creux, fut morne... On espérait se rattraper, à Blois, le lendemain, mais, ainsi que le raconte la Grande Mademoiselle, les officiers de son père *n'étaient plus à la mode. Quelque magnifique que fut le dîner on ne le trouva pas bon et Leurs Majestés mangèrent très peu. Toutes les dames de la cour de Blois qui étaient en grand nombre, étaient habillées comme les mets du repas, c'est-à-dire point à la mode. Le roi et la reine avaient si grande hâte de s'en aller que je n'en vis jamais une pareille. Cela n'avait pas l'air obligeant. Je crois que mon père était de même de son côté et qu'il fut bien aise d'être débarrassé de nous.*

La cour partie, Gaston poussa, en effet, un soupir de soulagement.

⁂

A la fin du mois de janvier 1660, le duc d'Orléans fut frappé d'apoplexie. Durant quelques jours, gardant toute sa lucidité, il attendit que la mort vînt le prendre. Tout homme, dit-on, fait alors un retour vers son passé... Gaston pensa-t-il au marquis de Cinq-Mars dont le château de Touraine avait été rasé *à hauteur d'infamie* par ordre de Richelieu... *infamie* dont Gaston d'Orléans était le responsable ?

Cloué sur son lit de Blois, le duc d'Orléans évoqua peut-être par la pensée ce cri d'horreur que poussa la foule en voyant la hache s'abattre sur le cou de l'élégant Cinq-Mars, mort à vingt-deux ans pour le frère du roi...

Peut-être avant de mourir, Gaston songea-t-il encore aux larmes des juges condamnant Montmorency à avoir la tête tranchée. Orléans ne pouvait ignorer ce qu'avaient été les derniers moments du maréchal : Montmorency venait d'être blessé en combattant, il avait le cou *navré de plaies* et, la tête sur le billot, s'était excusé en ces termes :

— Je ne remue pas par appréhension, mais ma blessure me fait mal.

Il avait encore recommandé au bourreau :

— Je vous supplie d'avoir soin que ma tête, après avoir reçu le coup, ne tombe point de l'échafaud à terre...

Pourtant la scène la plus atroce fut l'exécution, à Nantes, de Talleyrand, marquis de Chalais. Le frère de Louis XIII pris d'un tardif remords, et voulant retarder le supplice, avait fait enlever le bourreau... On avait désigné, pour remplacer l'exécuteur défaillant, un condamné au gibet qui n'avait jamais *décollé personne*. Ce fut une abominable boucherie ! Après avoir donné *trente-six coups d'une doloire de tonnelier,* le bourreau improvisé *fut contraint,* nous dit un témoin, *de retourner la tête de l'autre côté pour l'arracher du corps...* et jusqu'au vingtième coup, on entendit Chalais gémir :

— *Jesu, Maria !...*

Les cris de tous ces gentilshommes qui étaient morts pour lui et à cause de lui, durent accompagner Gaston durant ces lentes heures qui précédèrent le grand départ... Quel atroce cortège !

Le 2 février à midi, le duc reçut les sacrements et, sur les quatre heures, rendit le dernier soupir. Sa femme n'était pas auprès de lui. Elle mangeait *pour mettre ordre à ses vapeurs.* Elle interrompit cependant son repas afin *de serrer la vaisselle* de peur qu'on ne la lui prît. Puis elle se hâta vers la chambre de Gaston, non pour prier au chevet du mort, mais pour *oster les draps* du lit.

L'oncle du Roi-Soleil faillit être placé sans linceul dans son cercueil ! Une dame de la cour, bien que *point à la mode,* eut pitié et apporta l'un de ses draps pour ensevelir son maître...

XIX

AU FIL DES HEURES DE CHAMBORD

Au mois d'octobre 1670, la cour de Louis XIV se trouvait à Chambord qui avait fait retour à la couronne. Pendant la journée le roi chassait, la reine tuait le temps avec ses dames, et la Grande Mademoiselle essayait de faire comprendre à ce goujat de Lauzun qu'elle l'aimait à en perdre l'esprit. Les soirs n'étaient que bals, jeux, *appartements*, repas gigantesques et surtout spectacles.

Ceux qui n'avaient pas l'honneur d'être conviés à cette série de plaisirs, se consolaient en lisant les comptes rendus publiés par la *Gazette*. C'est ainsi qu'un matin les Parisiens purent lire ces quelques lignes : *Hier, 14 octobre, Leurs Majestés eurent, pour la première fois, le divertissement d'un ballet à six entrées, accompagné de comédies dont l'ouverture se fit par une merveilleuse symphonie suivie d'un dialogue des plus agréables.*

Le nom de l'auteur de ce « dialogue des plus

agréables » n'était pas plus mentionné que le titre du « divertissement » dont le gazetier parlait un peu comme d'un souper !... Il s'agissait pourtant de la première représentation du *Bourgeois gentilhomme* de Molière, de ce petit chef-d'œuvre qui, selon l'expression de M. Pierre Brisson, a le mouvement d'une farce, l'allure d'un opéra et le style d'une comédie. Cette « Première » est assurément une grande heure de notre théâtre. Derrière chaque réplique on devine un Molière plein de jeunesse, de joie de vivre et d'allégresse. Quel comique endiablé !

L'année précédente, en ce même Chambord, l'œuvre représentée était d'une tout autre qualité. Le roi avait obligé son auteur favori à écrire une « comédie-ballet ». Sans entrain, faisant la grimace, mourant de froid sous les combles, Molière s'était mis à la besogne, pestant contre la terre entière. Pourquoi ce travail forcé ? Son répertoire ne suffisait donc plus ? Ce pensum l'avait mis de si méchante humeur que pour se moquer des chasseurs à l'estomac chargé de venaisons, il avait écrit une farce à la gloire du clystère, autrement dit *Monsieur de Pourceaugnac.*

— *Ne sens-je point le lavement ? Voyez, je vous prie ?*

— *Hé ! Hé ! il y a quelque petite chose qui approche de cela !*

La cour, à qui la ronde des apothicaires, armés de lancettes, suffisait, s'amusa ferme. Louis XIV fut, dit-on, plus maussade. Le Roi-Soleil ne daigna se dérider que lorsque l'exubérant Lulli, qui jouait le rôle d'un apothicaire, eut l'idée de passer au travers d'un clavecin afin de sauver du naufrage cette pièce que l'on peut, je crois, qualifier de pantalonnade...

En cet automne 1670, le roi accueille le *Bourgeois gentilhomme* bien différemment. Cette fois, la vraie et claire gaieté règne en souveraine maîtresse et Louis XIV ne s'y trompe point ! Ici on ne sent plus le pensum imposé mais l'œuvre qui jaillit de source ! Molière a pu se laisser aller à sa verve, et ses personnages l'ont amusé lui-même ! Cette turquerie géniale, inspirée par les balourdises de l'envoyé extraordinaire de la Porte ottomane récemment reçu à la cour, remporte un tel succès qu'elle est jouée quatre fois durant le *voyage de Chambord*.

En dépit de cette réussite, la troupe — le registre de La Grange nous le prouve — ne toucha, pour rétribuer auteur, comédiens, musiciens et danseurs, que la somme de 600 livres 10 sols. Les frais de costumes et de décors avaient été si élevés — plus de 50 000 livres ! — que l'on s'était rattrapé sur les artistes et sur l'auteur du « dialogue »...

Le Roi-Soleil viendra neuf fois à Chambord et ses séjours, où alternent toujours chasses, repas pantagruéliques et divertissements de toutes sortes, ne méritent pas que l'on s'y attarde davantage. Opéré en 1686 de cette fameuse fistule dont toute l'Europe s'entretenait, Louis XIV dut mettre un frein à ses chevauchées cynégétiques et ne revint plus à Chambord.

***

Durant quatre années, la demeure — tel le château de la Belle au Bois dormant — resta assoupie au cœur de sa couronne de forêts. En 1725, elle s'éveilla à demi : le roi Stanislas et la reine Catherine, père et mère de Marie Leczinska, reine de France, venaient s'installer à Chambord.

Le mobilier que le roi Louis XV mit à la disposition de ses beaux-parents était assez insuffisant. Sans doute l'inventaire énumère-t-il *54 pliants pour dames, 30 chaises et 18 tabourets*. Mais il n'y avait qu'un seul lit au château et encore était-il qualifié *de repos.* Une chaise longue pour la sieste, en quelque sorte ! En outre, l'inventaire signale seulement la présence de quatre pots de chambre... ce qui est bien peu pour un château comprenant 440 pièces !

La vie que menèrent les souverains polonais fut sans histoire ! Ou plutôt, il n'y en eut qu'une : la lutte livrée par Stanislas contre les « exhalaisons pestilentielles » qui, en été, se dégageaient des fossés. Jusqu'à présent, personne ne s'en était plaint, pour la raison bien simple que depuis François Ier le château n'avait jamais été habité durant la canicule.

La puanteur fut telle, *l'espèce de fièvre tierce* qui en résulta fit tant de ravages, que les beaux-parents de Louis XV durent émigrer vers les localités voisines. *Vous ne sauriez croire de la manière que nous sommes,* écrit Stanislas à un ami, *ma mère dans un village et nous dans un autre !* Finalement les exilés furent tout aise d'accepter l'hospitalité que leur offrait M. de Caumartin, évêque de Blois, dans son bel hôtel que venait de construire Jacques-Jules Gabriel, au chevet de la cathédrale. Lorsque Stanislas revint à Chambord, les fossés du château avaient été en partie comblés, l'infection avait beaucoup diminué, mais n'avait pas disparu... Aussi, l'été, les Leczinski furent-ils toujours obligés d'émigrer vers une terre moins marécageuse, — le château de Menars — en attendant, en 1733, de quitter définitivement le Val de Loire pour la Lorraine.

⁂

Et Chambord, les Polonais partis, se rendormit dans ses miasmes pour quinze années...

Il fut réveillé en fanfare !

Un extraordinaire régiment s'arrêtait devant le château. Les habitants du village crurent voir arriver les escadrons de l'enfer ! Le premier peloton — *la brigade colonelle* — était composé de quatre-vingts noirs, originaires d'Afrique, des Antilles et des Indes. Portant la lance au poing, ils étaient montés sur des chevaux blancs et arboraient fièrement des casques à crinières, des vestes rouges et des culottes vertes *à la tartare.* Les cinq autres brigades — quatre cents uhlans multicolores — avaient peut-être des visages de chrétiens, mais s'exprimaient dans tous les idiomes de l'Europe centrale et orientale. On devine l'affolement des villageois lorsqu'ils virent les cavaliers mettre pied à terre et s'installer dans les écuries du château.

Ce régiment avait nom *Saxe-volontaires* et appartenait au maréchal de Saxe à qui Louis XV, au lendemain de la bataille de Fontenoy, avait accordé, pour le récompenser, outre la jouissance de Chambord, le droit, comme à un prince souverain, d'avoir auprès de lui, et pour son seul service, un régiment de cavalerie.

Le château du roi-chevalier allait revivre quelques belles heures.

Comme François Ier, Maurice de Saxe possédait une force étonnante. Il tordait entre ses doigts un écu de six livres, ouvrait un fer à cheval aussi facilement qu'un livre et, tout en souriant, transformait un clou en tire-bouchon. N'allez pourtant pas le prendre pour un soudard ou un lutteur de foire ! Le Bâtard de Saxe avait des lettres et aimait s'entourer de philosophes, d'écrivains et de femmes d'esprit. Il n'en refusa pas moins le fauteuil que l'Académie française eut l'étrange idée de lui offrir. Etrange, en effet, et, pour s'en convaincre, il n'est besoin que de lire le billet par lequel le maréchal donnait à un ami les raisons de son refus :

« *Il veule me fere de la cadémie, sela m'iret comme une bage à un chas.* »

Saxe rachetait son manque d'orthographe par une allure éblouissante ! Et il éblouissait tous ceux — et surtout toutes celles — qui le regardaient !... sauf, bien entendu, la fameuse Mme Favart qui aimait son mari, ce qui sous Louis XV était chose difficilement concevable.

— Les plus grands supplices ne me feront jamais manquer à la vertu, s'était-elle exclamée avec courage.

Mais son cher époux poursuivi par une lettre de cachet, elle-même traitée en *prisonnière d'Etat,* traînée de couvent en couvent — Angers et Tours verront les soupirs de l'héroïque comédienne — elle consentira enfin, à bout de forces, à se laisser *éblouir*. Cependant cette chute — qui eut sans doute lieu à Chambord — ne peut décemment pas être considérée comme une victoire digne d'être mise à l'actif du beau Maurice de Saxe !

Heureusement pour sa renommée, le maréchal en avait remporté d'autres, non seulement sur la carte du Tendre, mais surtout sur la carte des opérations militaires.

Après Lawfeld, sa dernière bataille, Saxe soupira :

— Allons la paix est faite, il faut nous résigner à l'oubli. Nous ressemblons aux manteaux, nous autres, on ne songe à nous que les jours de pluie !

Et, accompagné de toute une cour, il se retira à Chambord où, durant deux années, dans le château remeublé aux frais de Louis XV, il mena une existence de satrape. Il occupait au premier étage la chambre du Roi-Soleil. Alors que du temps de Louis XIV les représentations avaient lieu dans une salle de garde, le roi s'étant contenté de faire placer sa loge dans la cage d'escalier, le maréchal de Saxe fit installer une salle de spectacle de 1 800 places dans l'une des tours. Pour gagner son fauteuil placé sous un dais tendu d'or, il devait gravir une estrade jonchée de tapis de Turquie. Le service de la « Bouche » ne comptait pas moins de trente-cinq officiers !... Dans les écuries se pressaient 24 étalons, 192 juments poulinières, 118 poulains et 400 chevaux *de main ou d'attelage.* Maurice de Saxe fit même commencer de grands travaux dans le parc. « *J'ai fait router tout ce pays-là* », écrivait-il fièrement à son demi-frère le roi Auguste III.

A l'entrée du château qui ressemble durant ces deux années à une place forte, ont été placés six canons pris à la bataille de Raucoux. Un poste de cinquante uhlans veille au portail, les escadrons font la manœuvre dans la cour, les chevaux « tartares » qui paissent en liberté dans le parc sont dressés à accourir au son du clairon !... et sur la lanterne flotte l'étendard personnel du Maréchal !

Les habitants ont fini par accepter la présence de la *brigade colonelle...* particulièrement les jeunes filles, et le curé de Chambord doit rapidement enregistrer des mariages entre Noirs et Blanches, en attendant de baptiser des petits Blésois au teint sérieusement basané !

Le château ne désemplit pas. Bals, fêtes et repas — où apparaît évidemment la traditionnelle *carpe à la Chambord* — se succèdent sur un rythme endiablé. Le maréchal sait recevoir. « *Mlle de Sens,* écrit-il à son frère, *vient passer une partie de l'automne chez moi, à Chambord, avec une trolée de femmes de la cour. Je leur donnerai des chasses dans les toiles, la comédie, et le bal tout le jour, et pour cet effet j'ai arrêté la troupe des comédiens de la cour de Compiègne, à qui je ferai manger force biches et sangliers.* »

Il pense aussi aux dames seules à qui il fournit le vivre, le couvert... et le reste. Ce « reste » *était un corps d'officiers très bien choisis, de jolie figure et reclus comme des moines dans le château de Chambord.* C'est le maréchal qui l'affirme à son frère, en s'exclamant avec admiration : *On irait plus loin pour trouver cela !... Votre Majesté,* ajoute-t-il, *trouvera peut-être que je fais là un métier conforme à la vie que j'ai menée : c'est le sort des vieux charretiers d'aimer encore à entendre claquer le fouet !*

Quoi qu'il en dise avec modestie, Maurice de Saxe, à la fin de sa vie, savait encore lui-même faire « claquer le fouet ». La jolie Mlle de Verrière qui, le 17 octobre 1746, mit au monde une petite fille, le savait mieux que personne !... La princesse de Conti aussi, du moins s'il faut en croire Grimm.

Maurice de Saxe avait, en effet, été l'amant de la malicieuse petite princesse. Un soir qu'il était allé lui présenter ses hommages, le mari survint et le maréchal n'avait eu, disait-on, que le temps de sauter par la fenêtre. On précisait même que le séducteur s'était foulé le pied en tombant... Conti était entré dans la chambre de sa femme un pistolet d'une main et une épée de l'autre.

— Pourquoi tout ce bruit? lança la jeune femme en souriant avec ironie. Si vous aviez vraiment cru trouver ici un homme, vous vous seriez bien gardé d'y entrer !

En 1750, cette liaison durait-elle encore ? La question est importante, car, à propos de ces amours — et de leurs conséquences — nous allons devoir pénétrer en plein mystère : celui de la mort de Maurice de Saxe. C'est là une énigme qui a opposé — et oppose encore — bien des historiens. Mais laissons tout d'abord parler les documents :

AU FIL DES HEURES DE CHAMBORD

Le marquis d'Argenson, ministre des Affaires étrangères de Louis XV, écrit dans son *Journal :*

26 novembre 1750. — Le maréchal de Saxe est tombé malade à Chambord ; il a mandé au plus vite le sieur Senac, son médecin. Le régime libertin qu'il menait depuis sa guérison lui a valu une rechute.

2 décembre 1750. — On a appris hier la mort du maréchal de Saxe. Depuis les grandes saignées qu'on lui a faites pour sa fluxion de poitrine, il a enflé et est mort tout à coup lundi soir... Le sieur Senac, médecin du comte de Saxe, étant arrivé au moment où il n'y avait plus rien à espérer pour la vie du maréchal, le malade lui a dit seulement :

— Mon ami, voilà la fin d'un beau rêve !

Telle fut également la thèse officielle. Par contre, Grimm, qui venait d'arriver à Chambord, écrit dans ses *Mémoires :*

« Maurice avait été l'amant de la princesse de Conti. Une cassette contenant des lettres aurait été surprise par le prince qui serait venu demander réparation les armes à la main. Le maréchal était couché et souffrant lorsqu'un domestique lui remit une lettre. Il se leva aussitôt et sortit par un escalier dérobé, suivi de son seul aide de camp. Deux étrangers attendaient dans une chaise de poste. Ils saluèrent froidement le comte, mirent pied à terre, les épées furent tirées et le duel commença aussitôt. M. de Frise, cherchant son oncle, descendit à ce moment dans le parc. Il aperçut un groupe soutenant un blessé. Le maréchal, d'une pâleur mortelle, rouvrit les yeux et dit :

« — Le prince de Conti est-il encore ici ? Assu-

rez-le que je ne lui en veux nullement. Je demande le plus grand secret de ce qui vient de se passer. »

Cette version semble être corroborée par le récit d'un autre témoin publié par Merle. Cet historien, préparant un ouvrage sur le maréchal de Saxe, se rendit à Chambord où il retrouva *le vieux Mouret, ancien valet de chambre du maréchal* qui lui déclara :

— Vers les derniers jours de novembre, vers huit heures du matin, une chaise de poste précédée d'un courrier sans couleur, entra dans le parc de Chambord par la porte des Muides ; elle s'arrêta au bout de l'avenue du parterre ; il en descendit deux personnes ; le courrier se rendit au château, chargé d'une lettre pour le maréchal qui était encore couché. Monseigneur, après avoir lu cette lettre, s'habilla à la hâte, fit prévenir son aide de camp, et, suivit de son valet de chambre, il descendit par l'escalier dérobé de son appartement, sortit par les fossés du château et marcha à la rencontre des deux étrangers ; le père Desfri, vieux fermier du parc, lui vit mettre l'épée à la main. Bientôt après, les deux inconnus remontèrent en voiture et le maréchal soutenu par son aide de camp revint au château et se mit au lit ; mais on ordonna le plus grand secret à tous les gens de service.

Où est la vérité ?

Certains historiens ont cru pouvoir fixer la date du duel au 21 novembre, le maréchal étant mort le 30, *après neuf jours de maladie.* M. Louis Hastier nous démontre fort ingénieusement que le prince de Conti pouvait difficilement se trouver à Chambord ce 21 novembre car il devait assister aux obsèques de sa tante, la princesse de La Roche-sur-Yon, décédée le 19. Par ailleurs, *Grimm,* écrit M. Hastier, *prétend qu'il résidait depuis trois jours au château avec le comte de Frise lorsque le duel eut lieu. Cette affirmation est inexacte puisqu'il a daté de Paris, et du 20 novembre, la seconde de ses lettres sur la littérature allemande publiée dans le* Mercure de France.

On pourrait répondre que Grimm préférait peut-être voir figurer le nom de *Paris,* centre de la pensée européenne, en tête d'un écrit important, plutôt que celui de *Chambord.* Mais on peut aussi dire autre chose : Grimm nous raconte que le maréchal *était couché et souffrant* lorsqu'on vint lui annoncer l'arrivée du prince de Conti. Le valet de chambre précise également que le maréchal *était encore couché* à l'instant où le courrier remit sa lettre. Par conséquent, ne peut-on pas en déduire que le duel a eu lieu *le troisième ou le quatrième jour de la maladie* du maréchal, de cette maladie qui, rappelons-le, ne dura que neuf jours et commença le 21 ? Bien plus, le valet de chambre ne fixe-t-il pas la rencontre aux *derniers jours de novembre ?* La date du 25 ou du 26 est donc fort plausible... Ce qui permettrait au prince de Conti d'avoir enterré sa tante, et à Grimm d'avoir écrit sa lettre avant de quitter Paris pour Chambord.

Cependant le médecin du maréchal jura ses grands dieux que son malade était mort d'une congestion pulmonaire. Il est fort possible que la blessure de Maurice de Saxe n'ait pas été mortelle.... mais lorsqu'on est alité avec une fluxion de poitrine, il n'est pas recommandé, à la fin du mois de novembre, d'aller s'échauffer l'épée à la main dans une forêt humide... C'est là une thérapeutique assez discutable ! Ainsi que l'a fort bien dit le bâtonnier Henri-Robert :

— La mort peut bien, en effet, avoir été causée

par une congestion pulmonaire, mais cette congestion pulmonaire peut avoir été provoquée elle-même par un coup d'épée en pleine poitrine !

Quoi qu'il en soit, on comprend le soupir de la marquise de Pompadour :

— Ce pauvre Saxe est mort dans son lit comme une vieille femme...

La mort, l'épée à la main, conviendrait tellement mieux au vainqueur de Fontenoy !

Après avoir été embaumé sur une table de marbre que l'on montre encore aujourd'hui à Chambord, le corps de Maurice de Saxe, escorté par cent dragons, partit pour Strasbourg... et le château se rendormit pour toujours.

En 1793, il manqua d'être réveillé brutalement, lorsque les habitants de Saint-Dyé-sur-Loire demandèrent la destruction de ce *château onéreux et inutile*... Déjà les villageois des environs avaient commencé à arracher les boiseries, quand la chute de Robespierre, entre autres conséquences, sauva le domaine du désastre et permit à Napoléon d'offrir à Berthier un château, délabré peut-être, mais intact. Le chef d'état-major de l'Empereur ne passa que deux jours à Chambord, mais eut néanmoins le temps de mettre son chiffre dans certaines pièces du rez-de-chaussée, à la place de celui de François Ier... ce que n'avait pas osé faire Louis XIV ou le maréchal de Saxe !

Au début du mois d'avril 1814, Chambord vit arriver une file de carrosses rutilants, superbement dorés, surmontés d'allégories et cloutés de plaques d'argent. Les beaux jours allaient-ils recommencer ? Quels souverains arrivaient à Chambord en tel équipage ?... Mais les voitures ne contenaient que des harnachements de rechange ! C'étaient les carrosses du sacre de Napoléon que l'on venait mettre à l'abri !...

***

1871 ! L'année terrible. L'Empire est à terre ! Les électeurs envoient à la Chambre 400 députés monarchistes et seulement 200 républicains et quelques Bonapartistes. Sans doute les royalistes forment-ils deux groupes : 200 députés sont partisans du comte de Paris, petit-fils de Louis-Philippe et 180 « légitimistes » sont fidèles à la branche aînée personnifiée par le comte de Chambord, petit-fils de Charles X, proclamé roi à Rambouillet en 1830. Cependant la réconciliation entre les deux cousins semble probable et le règne d'Henri V assuré.

Un seul point les sépare : le drapeau tricolore que l'ancien duc de Bordeaux déclare ne pouvoir accepter...

Un matin de juillet, un fiacre venant de Blois, approche du château. C'est le roi de Rambouillet qui rentre chez lui, dans ce château qu'il ne connaît pas et dont il porte le nom puisque la France — à la suite d'une souscription publique — l'a déposé dans son berceau. C'est de Chambord qu'il veut s'adresser à la France. Quittera-t-il le château en roi ? Avant d'écrire son *Manifeste* le prince reçoit trois députés légitimistes, le comte de Maillé, le duc de La Rochefoucauld et le vicomte de Gontaut-Biron. Le fils du duc de Berry va droit au but :

— Messieurs, je ne puis accepter le drapeau tricolore. Je veux que le drapeau de mon royaume soit blanc.

— Monseigneur, répond le comte de Maillé, le

drapeau tricolore est le symbole du régime moderne ; quand on agite le drapeau blanc, le peuple croit voir le retour des privilèges, de la féodalité et la suppression de l'égalité. Le drapeau tricolore, c'est pour le peuple la date de son affranchissement, il y voit ses lettres de noblesse...

— La France, reprend « Henri V », peut accepter le drapeau blanc qui n'a pas été à Sedan et a le mérite de n'être pas suspendu dans les arsenaux de l'Allemagne!

— La France, Monseigneur, aime le drapeau tricolore malgré ses infortunes. En opposition avec le drapeau rouge, il représente l'ordre et l'autorité. Il n'est plus le sanglant emblème des massacres de la Révolution, il est devenu l'emblème de l'ordre !

Chambord essaya encore de convaincre ses interlocuteurs ou plutôt de leur expliquer son inexplicable point de vue, mais ce fut en vain...

Et le même soir, tandis que la nuit enveloppait son château, celui qui avait été salué à sa naissance comme « l'enfant du Miracle » écrivit son *Manifeste* ce Manifeste qui allait être son abdication.

« Je ne me laisserai par arracher de mes mains l'étendard d'Henri IV, de François Ier et de Jeanne d'Arc. C'est avec lui que s'est faite l'unité nationale... Je l'ai reçu comme un dépôt sacré du vieux roi mon aïeul mourant en exil... Il a flotté sur mon berceau, je veux qu'il ombrage ma tombe... »

En renonçant aux trois couleurs c'est à la France que Henri V allait renoncer !...

Le désir de M. le comte de Chambord sera exaucé, c'est dans les plis du drapeau blanc, devenu le linceul de la royauté, qu'il sera enseveli, douze années plus tard, en terre d'exil.

XV

DERNIÈRE HEURE IMPÉRIALE (1)

L'EMPIRE s'effondrait.

Le 28 mars 1814, au matin, les avant-gardes prussiennes sont en vue de Paris. Des cavaliers ennemis ont été vus à Claye et Napoléon se trouve encore au-delà de la Marne ! Que va faire la Régente, l'impératrice Marie-Louise ? En se jetant dans les bras de son père l'empereur François II, en accueillant aux Tuileries le tsar et le roi de Prusse, peut-être pourrait-elle éviter le pire ?...

(1) Ce récit ayant été écrit à l'aide de *Souvenirs* et de *Mémoires* oubliés et peu connus, je crois devoir donner ici mes sources : Manuscrit Duchemin de La Chesnaye (*Bibliothèque Municipale de Vendôme N° 323*) ; *Souvenirs fragmentaires* d'Amédée Thierry ; *Voyage de Marie-Louise à Blois* par un page de Bonaparte (*Mémoires de la Société des Sciences et des Lettres du Loir-et-Cher,* 1888, I-IX) ; *Mémoires* de la générale Durand, première dame d'honneur de l'impératrice Marie-Louise ; *Vers l'exil* de Robert Milliat ; et, bien entendu, la *Correspondance de Napoléon et de Marie-Louise,* les *Mémoires* de Galbois, Méneval, Bausset, Savary, et les ouvrages du baron Bourgoing, d'A. Augustin-Thierry, de Frédéric Masson, d'Octave Aubry, de Jules Bertaut, etc.

Peut-être le règne de Napoléon II serait-il envisagé comme la seule solution possible ?

A dix heures du soir le Conseil se réunit au château. La discussion se prolonge... Tous, sauf Joseph, estiment que quitter Paris serait une lourde faute. Partir, n'est-ce pas laisser le champ libre aux Bourbons ? On vote. L'unanimité est presque acquise : l'Impératrice et le gouvernement doivent rester. C'est alors que le roi Joseph donne lecture d'une lettre de l'Empereur, déjà ancienne de quelques jours : *Vous ne devez pas permettre que dans aucun cas l'Impératrice et le roi de Rome tombent entre les mains de l'ennemi. S'ils avancent sur Paris, avec des forces telles que toute résistance devient impossible, faites partir dans la direction de la Loire la Régente, mon fils, les grands dignitaires, le Trésor.*

Le maître a parlé. Tous s'inclinent. Mais tous savent qu'en abandonnant Paris, l'Impératrice perd sa couronne.

Il est trois heures du matin. Dans la cour du Carrousel, Talleyrand monte en voiture et laisse tomber de ses lèvres minces :

— Voilà donc la fin de tout ceci. Ma foi, c'est perdre une partie à beau jeu !

Dans la nuit, Marmont envoie un billet ne contenant que dix mots : *L'ennemi gagne du terrain : nous pouvons être cernés ce soir.*

C'est le sauve-qui-peut !

A neuf heures du matin, sous un ciel pluvieux, l'exode commence. Les Parisiens amorphes regardent en silence le long cortège remonter les Champs-Elysées. Un escadron de grenadiers et de chasseurs précède les berlines vertes aux armes impériales, dans lesquelles se sont entassés l'Impératrice, le roi de Rome, Madame Letizia, la reine de Westphalie, Cambacérès, les dames d'honneur et les ministres. Les pages de l'Aiglon ont pris place dans de *grandes gondoles* attelées de huit chevaux. Puis, encadrés de lanciers de la Garde, viennent les lourds carrosses du sacre dont les ors brillent dans la brume matitale. A l'intérieur on devine des harnais et des selles de rechange, jetés en vrac sur les coussins de satin... Enfin, fermant la marche, roulant avec fracas sur les pavés, passent les fourgons contenant les bijoux de la couronne, les costumes du sacre, le glaive impérial, l'argenterie, la vaisselle de vermeil... et le Trésor : trente-deux petits barils d'or.

De tout le gigantesque empire qui s'étendait de Hambourg à Naples, de Brest à Varsovie, il ne reste plus que cette caricature de l'épopée... cette caravane traînant après elle un bric-à-brac doré !

Après des haltes à Rambouillet, à Chartres et à Châteaudun, le long cortège atteint Vendôme le vendredi 1er avril. Depuis deux jours les nouvelles, apportées par les courriers, sont mauvaises. Paris a capitulé. Le Sénat s'est déclaré contre l'Empereur, qui, en ce moment, abandonné par ses maréchaux, se trouve à Fontainebleau, attendant un miracle impossible.

L'impératrice et son fils passent la nuit à l'hôtel de Soisy — aujourd'hui la sous-préfecture. Le roi Joseph, venu retrouver la smala, a été hébergé au collège de l'Oratoire — l'actuel lycée Ronsard — Madame Mère demeure chez M. Le Moine de la Godelinière et le roi Jérôme, qui a rejoint lui aussi la caravane, loge chez une Mme de Paris.

De Fontainebleau, l'Empereur dirige la retraite et l'Impératrice reçoit l'ordre de se rendre à Blois, et non à Tours ainsi qu'il avait été primitivement convenu.

A dix heures du matin, les lourdes voitures s'ébranlent. Les Vendômois regardent *émerveillés en découvrant que les soupentes et les moyeux des roues des voitures du sacre sont couvertes de plaques d'argent.*

Il n'y a que huit lieues de Vendôme à Blois, mais on restera neuf heures en chemin ! *La route n'était pas terminée,* raconte une dame d'honneur de l'Impératrice. *La plupart des voitures, celles surtout qui étaient les plus chargées, sombrèrent dans la fange. Il fallut, pour les en retirer, appliquer la force de tous les chevaux sur quelques-unes d'elles.* Un ressort cassa au carrosse impérial... Enfin, pour tout arranger, le cortège se trompa de chemin et se retrouva à Oucques, sur la route d'Orléans ! Il fallut rebrousser chemin.

Ce n'est plus un cortège, mais une déroute !

C'est en cet équipage, sous la pluie, dans des carrosses crottés jusque par-dessus les portières, que l'Impératrice, le roi de Rome, Madame Mère, le roi et la reine de Westphalie, le roi et la reine d'Espagne, traversent les villages du Blésois...

***

Le château de Blois était rempli de prisonniers et de blessés. Aussi, depuis le samedi matin, le préfet, le baron Christian, installait-il fiévreusement l'ancien palais de l'Evêché, devenu l'hôtel de la Préfecture.

Il est sept heures du soir. La foule s'est massée sur la place. L'obscurité tombe lorsqu'un grand roulement de voiture se fait entendre... Bientôt le premier carrosse s'arrête devant la Préfecture. *Une tête se penche à la portière,* a écrit Amédée Thierry, venu là avec son père pour assister au spectacle. *J'ai eu le temps d'apercevoir un visage creusé par la fatigue, des cheveux blonds ébouriffés sous le capuchon d'une mante grise.*

— Sa Majesté l'Impératrice, dit mon père en se découvrant.

Il fait déjà trop sombre et nous sommes trop loin pour bien distinguer la suite. A la lueur de lanternes, nous apercevons descendre des ombres confuses dont l'une porte un enfant dans les bras. Deux ou trois cris de Vive l'Empereur ! sont poussés timidement. Christian, reconnaissable à son uniforme, scintillant de broderies, s'est avancé sur le perron. Sans doute veut-il débiter une harangue. On a dû l'interrompre, car les arrivants pénètrent dans la Préfecture dont les portes sont aussitôt fermées.

— Enfin Napoléon est fichu, lance quelqu'un dans la nuit. Voilà le cauchemar terminé !

Madame Mère, les rois et les reines sont allés demeurer dans les vieux hôtels bordant la Loire (1). Le lendemain — 3 avril — dès dix heures et demie toute la cour gravit la colline pour aller au dîner d'apparat chez l'Impératrice. C'est aujourd'hui le dimanche des Rameaux et les habitudes des Tuileries sont reprises. Cambacérès qui a été logé dans un hôtel voisin du carrefour Saint-Michel, se refuse à gravir à pied les escaliers des Petits-Degrés-Saint-Louis. On lui procure une chaise à porteurs d'aspect vétuste, avec laquelle S. E. l'Archichancelier fait une entrée remarquée...

Nous savons, par l'un des pages, que *le dîner fut, en apparence, assez gai.* Le gouvernement a encore quelques illusions et, le lundi 4, placarde un manifeste dans les rues de Blois. Le texte faisait savoir aux habitants qu'ils seraient *bientôt récompensés de l'accueil qu'ils avaient fait à l'Impératrice. Napoléon,* ajoutait Marie-Louise, *après avoir puni les*

(1) La plupart ont été détruits en 1940.

armées ennemies de leur témérité, saura reconnaître la fidélité de ses sujets.

Ce même jour, l'Empereur — « déchu » la veille par le Sénat — signait à Fontainebleau son abdication en faveur du roi de Rome...

La nouvelle en fut portée à Blois par le colonel de Galbois. Marie-Louise fut *très surprise,* nous raconte le messager. *Elle ne pouvait croire que les souverains alliés eussent l'intention de détrôner l'empereur Napoléon.*

— Mon père, disait-elle, ne le souffrira pas. Il m'a répété vingt fois, quand il m'a mise sur le trône de France, qu'il m'y soutiendrait toujours.

Aussitôt, elle adresse une lettre à son père le suppliant de ne pas les abandonner : *Je suis persuadée que vous écouterez ma prière et que vous ne sacrifierez pas la paix et les intérêts de votre petit-fils à l'avidité de l'Angleterre et de la Russie... Ma santé souffre de tous ces malheurs et je suis sûre que vous ne me souhaitez pas de vivre longtemps dans cette cruelle anxiété. Encore une fois, mon très cher papa, je vous en supplie, ayez pitié de moi !*

Elle n'a alors qu'un désir : retrouver Napoléon.

— Ma place est à côté de l'Empereur dans un moment où il doit être si malheureux, répète-t-elle à Galbois, les larmes dans la voix.

On eut de la peine pour la dissuader, nous dit le colonel. D'ailleurs, du 4 au 12 avril, Napoléon ne tient guère à voir arriver sa femme. Il veut être libre de ses mouvements. Sans doute a-t-il abdiqué en faveur du roi de Rome mais son abdication définitive *pour lui et ses descendants* n'est pas signée, et il est encore un « général » — il le croit du moins ! — et un général qui ne veut pas traîner avec lui toute une cour !

Et Marie-Louise ?

A son sujet, on a parlé bien souvent de *trahison.*

Selon certains historiens, dès le 5, dès le lendemain de l'abdication, l'Impératrice avait déjà pris le parti d'abandonner son mari.

C'est aller un peu vite !

Il résulte des recherches du baron Bourgoing et de la confrontation des lettres de Marie-Louise avec celles de son époux écrites au cours de cette semaine tragique, que la mère du roi de Rome ne *trahira* que beaucoup plus tard. Tant qu'elle résidera au bord de la Loire, elle désirera sincèrement retrouver Napoléon. Et elle a du mérite ! Tandis que son entourage — la duchesse de Montebello en tête — fait tout pour l'empêcher de partir pour Fontainebleau, l'Empereur, hésitant lui-même sur le parti à prendre, ne donnera à sa femme aucun ordre positif, auquel — n'en doutons pas — elle eût alors obéi.

Durant ces confuses journées de Blois, un seul ordre précis fut donné et suivi : les voitures du sacre partirent pour Chambord, c'est-à-dire par la rive gauche du fleuve. Joseph et Jérôme auraient bien voulu que l'Impératrice prît le même chemin et allât, en leur compagnie, se mettre à l'abri au-delà de la Loire.

A ce sujet, le vendredi 8 avril, éclate une scène violente entre les rois et leur belle-sœur. Jérôme et Joseph, nous raconte un témoin, *lui représentèrent que les liens qui l'unissaient à la famille impériale la rendaient, pour cette famille et pour l'Etat, un otage volontaire et nécessaire.* Marie-Louise résiste... supplie... pleure... C'est alors que les deux rois, *peu touchés, prirent leur belle-sœur chacun par un bras et voulurent user de violence pour la conduire à sa voiture. Marie-Louise poussa des cris qui firent entrer quelques personnes de sa maison.*

— Monsieur, dit-elle à Bausset, les frères de l'Empereur veulent me faire partir de Blois, malgré moi. Ils me menacent de me faire enlever ainsi que mon fils. Que dois-je faire ?

— Votre volonté.

Les officiers entrés avec Bausset jurèrent de défendre l'Impératrice... Les deux rois se retirèrent, et ainsi se termina cette scène un peu ridicule.

La surexcitation est d'autant plus à son comble, que le bruit court dans la ville que l'hetman des cosaques, Platow, est arrivé à Blois et va venir enlever Marie-Louis... On l'a vu se pavaner dans les rues. Cent personnes le jurent ! En réalité, il s'agissait d'un paisible sapeur de la Garde, devenu même garçon de bureau au ministère de la Guerre... mais qui arborait une barbe si somptueuse que les Blésois l'avaient aussitôt pris pour le terrible colonel moscovite, dont tout le monde s'entretenait en baissant la voix...

Cependant — et cela était plus exact — trois mille cosaques, sous les ordres de Czernicheff, se trouvaient dans les environs. *Je suis perduadée que c'est pour nous faire prisonniers,* écrit Marie-Louise à son père. *Je vous prie, cher papa, si un malheur nous arrivait, de nous donner un refuge dans vos Etats.*

Sans doute demande-t-elle asile *dans le seul cas* où elle serait faite prisonnière, mais, pour la première fois, elle envisage de se retirer en Autriche. Ainsi que l'a fort bien dit Octave Aubry, *la démarche maladroite des Bonaparte a réveillé chez elle l'archiduchesse.*

Cependant, Marie-Louise ne va plus devoir prendre de décisions, ou, tout au moins, aura-t-elle l'excuse de devoir obéir. Le comte Schouwaroff, aide de camp du tsar, et le baron de Saint-Aignan, envoyé du gouvernement provisoire, arrivent à Blois le 8 à midi. Ils ont mission de conduire l'Impératrice et son fils à Orléans. Les consignes de Saint-Aignan sont précises : « L'Impératrice ne doit prendre, *sous aucun prétexte,* la route de Fontainebleau. » De même Schouwaroff, interrogé par Bausset, *donne à entendre qu'il ne pensait pas qu'il fût permis à l'Impératrice d'aller à Fontainebleau.* Tout le monde se trouve d'autant plus d'accord pour quitter Blois que l'Impératrice vient de recevoir une lettre de Napoléon lui conseillant de s'arrêter à Orléans, car il se trouvait sur le point de quitter Fontainebleau... du moins il se l'imaginait.

En prévision du départ pour Orléans, on commence par licencier une partie de la maison impériale. C'est bientôt un exode ! Ministres et conseillers d'Etat se hâtent de regagner Paris afin de s'occuper de leurs affaires et de proclamer leur loyalisme. Ceux qui doivent rester sur ce navire qui fait eau de toutes parts se résignent de fort mauvaise grâce. Telle la duchesse de Montebello qui, à table, lors du dernier repas pris à Blois, ose soupirer :

— Qu'il me tarde que tout cela soit fini ! Que je voudrais être avec mes enfants, tranquille dans ma petite maison de la rue d'Enfer.

— Ce que vous me dites là, duchesse, est bien dur, répond l'Impératrice les larmes aux yeux.

Le 9, avant le départ, Marie-Louise fait appeler Méneval. *L'Impératrice,* nous dit-il, *paraissait un peu inquiète de la manière dont se passerait son voyage. Elle se fit apporter les diamants de la couronne, dont elle ne savait trop que faire. Sachant qu'elle devait traverser des postes de cosaques et être escortée par des troupes étrangères, elle craignait le pillage de ses voitures.* Marie-Louise met alors sur elle toutes ses bagues, tous ses colliers, tous ses bracelets et se trouve bientôt parée comme une châsse... Mais il reste le glaive impérial sur la garde duquel le *Régent* a été monté. L'Impératrice ne peut décemment pas ceindre cette arme !... Aussi la confie-t-elle à Méneval qui — on s'en doute — se trouve fort embarrassé. Il essaye, mais en vain, de séparer la lame du pommeau. Cependant, à force de manipuler le glaive, il s'aperçoit que la lame est en laiton... Il la rompt alors aussi facilement qu'une épée de carton et cache le pommeau sous son habit ! Bien lui en prit, car, à Beaugency, le cortège fut arrêté par un parti de cosaques. Ils entouraient déjà le Trésor lorsque Schouwaroff arriva et ramena l'ordre. Seul le fourgon contenant les chapeaux et les bonnets de l'Impératrice fut pillé...

⁂

Le samedi 9, à la fin de l'après-midi, la garde nationale d'Orléans fait la haie depuis la porte de la ville jusqu'au portail monumental de l'Evêché, majestueuse demeure du XVIIe siècle (1) où Marie-Louise et le roi de Rome vont demeurer. Précédée du préfet du Loiret, l'Impératrice gravit le grand escalier de pierre et va s'enfermer dans ses appartements.

Orléans est en plein interrègne. Eu égard à Marie-Louise, on affecte de se considérer encore sous le régime impérial, alors que tout le reste de la France — excepté Fontainebleau — est déjà royaume !

Le roi de Rome, dans son petit habit à la *matelote*, joue dans la cour de l'Evêché. Un sabre de bois à la main, il passe en revue les jeunes pages de l'escorte...

Un certain Dudon, envoyé par le gouvernement provisoire, vient chercher les diamants de la couronne. L'opération se fait sans ménagements. Dudon ose réclamer un « esclavage » de perles que l'Impératrice porte au cou et qui lui a été donné par l'Empereur. Sans murmurer, Marie-Louise s'incline et ôte le

(1) C'est aujourd'hui la bibliothèque de la ville qui possède plus de 150.000 volumes, des incunables et des manuscrits en grand nombre — certains datent du VIIe siècle. C'est là que se trouve réuni aujourd'hui le fonds Desnoyers : 11.000 volumes concernant Orléans.

collier. Le pilleur d'épaves emporte jusqu'aux mouchoirs de l'Empereur ! Après le passage de ce rapace, il n'y a même plus d'argenterie et l'on doit emprunter à l'Evêque des plats de faïence et des couverts !

— Je suis vraiment à plaindre, soupire Marie-Louise à Savary. Je suis abandonnée et m'en remets à la Providence. Elle m'avait sagement inspirée en me conseillant de me faire chanoinesse ! J'aurais bien mieux fait de l'écouter que de venir dans ce pays !

Elle était livrée à une foule de réflexions sur des événements qui étaient au-dessus de son expérience, conclut Savary. Ils étaient surtout au-dessus de son intelligence et de ses forces.

Le 10, elle écrit à son père : *L'Empereur part pour l'île d'Elbe. Je lui ai déclaré que rien ne me déciderait à m'en aller d'ici* (pour le rejoindre) *avant de vous avoir vu. Ce que je désire c'est la tranquillité. On veut m'emmener d'ici contre ma volonté. Je vous supplie de m'envoyer le plus tôt possible une réponse car je meurs de peur.*

Un hochet va la tranquilliser.

Le 11, après la messe, une nouvelle cohorte de chambellans, d'écuyers et de dames, quitte le palais après avoir pris congé de l'Impératrice, *lorsque,* raconte Méneval, *arriva la nouvelle que les Etats de Parme lui étaient donnés. Tout le monde rentra pour la féliciter.*

Ainsi, sans la moindre ironie, on vient « féliciter » la femme qui perdait les couronnes de France, d'Italie, de Hollande, de la Confédération du Rhin et recevait en échange *un objet de 400.000 âmes,* selon l'expression de Napoléon dans une lettre datée de ce même 11 avril (1).

(1) *Tu auras au moins une maison et un beau pays,* poursuivait l'Empereur, *lorsque le séjour de mon île de l'Elbe* (sic) *te fatiguera et que je deviendrai annuieu* (sic).

Un peu de bonheur éclaire le visage de Marie-Louise. Son père ne l'abandonnait pas ! Mais ne se devait-elle pas maintenant d'écouter Mme de Montebello et Schouwaroff ? Rejoindre au plus vite l'empereur François ? N'obtiendrait-elle pas davantage ? Peut-être la Toscane ! *Il faudrait t'arranger pour voir ton père au plus vite,* lui conseille d'ailleurs Napoléon.

Est-ce d'Orléans, et à cette date du 13 avril, que doit être fixée la trahison de Marie-Louise ?

Pas encore !

Dans l'esprit de l'ex-impératrice il ne s'agit que *d'une entrevue* avec l'empereur François et non d'un ralliement définitif. *Cette cause seule* (voir son père) *a pu me décider à faire ce voyage,* écrit-elle à François II *le 13* (en arrivant à Rambouillet), *et m'a empêchée d'aller tout de suite à la rencontre de l'Empereur Napoléon qui m'attend à Fontainebleau.*

Cette lettre est capitale.

On le voit, *avant* d'avoir vu son père, Marie-Louise pense toujours rejoindre son mari. Bien entendu pâte malléable et molle, elle s'empressera d'accepter la proposition de François II qui lui offrira d'aller d'abord se reposer à Schœnbrunn, puis de *prendre les eaux,* avant de partir pour l'île d'Elbe *si elle le désire !* Mais, alors, elle ne le désirera plus ! Un certain général Neipperg sera entré dans la danse...

Le 13, sur l'ordre de Napoléon, le général Cambronne, ayant reçu la mission de conduire l'Impératrice auprès de l'Empereur, arrive à Orléans avec deux bataillons de la vieille Garde.

Napoléon s'est enfin décidé !

Mais trop tard, hélas ! Marie-Louise, avec seulement six berlines de suite, a quitté la ville depuis la veille à huit heures du soir...

Ce même 12 avril, un peu avant midi, le comte d'Artois, accueilli à la barrière de Bondy par les maréchaux Ney, Marmont et Moncey, arrive à Paris et s'installe aux Tuileries. Ce même 12 avril, la reine d'Espagne — Julie Clary — quitte Orléans et rentre tout bonnement à Paris, suivant en cela l'exemple de sa belle-sœur, la reine de Westphalie — Catherine de Wurtemberg — qui depuis deux jours déjà a regagné la capitale. Le roi Jérôme, qui a également quitté la ville ce 12 avril, se cache au château de Lamotte-Beuvron (1), tandis que Madame Mère a pris, dès le 11, la route d'Italie.

Cambronne et ses grenadiers, désormais inutiles, s'en vont à leur tour...

Il ne reste plus à Orléans que le roi Joseph qui, attendant ses passeports, demeurera encore une semaine dans le chef-lieu du Loiret. Il faudra véritablement l'expulser ! Le 18, talonné par la gendarmerie royale, il prend enfin la route de Bourges...

Le séjour de la caravane impériale au Val de Loire avait coûté fort cher !

Les préfets de Loir-et-Cher et du Loiret, en l'absence du principal débiteur, parti pour son carré de choux de l'île d'Elbe, présentèrent la note à Louis XVIII qui, de fort bonne grâce, s'empressa d'acquitter la facture !

Il devait bien cela à Napoléon !

Si l'Empereur n'avait pas donné l'ordre à sa femme de quitter Paris, le roi aurait-il aussi facilement retrouvé son trône ?...

(1) Rendez-vous de chasse, construit au XVIe et au XVIIIe siècle. Depuis 1870 le vaste domaine qui entoure le château est une colonie agricole, organisée par l'administration pénitentiaire.

ON l'a vu, dans tout le Val de Loire, aucun château n'avait pu recevoir la cour impériale qui avait dû s'entasser dans des bâtiments publics ou chez des particuliers ! Le château de Chambord, démeublé, se trouvait en pitoyable état — la chapelle allait devenir chenil en 1815 — et Blois servait de caserne ! On avait même enlevé toutes les cheminées de l'aile Louis XII, « dont la saillie », précisait un rapport de l'administration, « contrariait beaucoup le placement des lits ».

Et Amboise ?

Sous l'Empire, la restauration de l'ensemble fut jugée trop coûteuse et l'on fit jeter à bas les trois quarts du château, qualifiés d' « inutiles » par les architectes. Les « avantages », résultant de l'opération, devaient, paraît-il, permettre de se procurer de l'argent destiné à restaurer la partie du château que l'on avait décidé de conserver. On vendit « la marche d'escalier : 1 franc 50 le mètre courant ». Le millier de briques (en morceaux bien entendu) : 10 francs ! Le carreau de pavement (du XVII*e siècle !) : 10 francs le cent ! Les vitraux de la chapelle (datant de Charles VII) furent adjugés 150 francs, « eu égard aux ferrures qui s'y trouvaient » !*

Lorsqu'on parcourt les mémoires de l'entrepreneur chargé de réparer le quart « sauvé », on reste pantois. On lit, en effet : « Arrachement des lambris... Reconstruction des cheminées à la moderne... Peinture en marbre feint », etc.

Cet acte de vandalisme ne fut pas un cas unique au Val de Loire ! Mais arrêtons-nous là. Paix aux cendres des architectes ! Depuis un siècle ils essayent de reconstituer le décor du passé et ils y sont parvenus. Que de réussites ont été réalisées à Amboise par Ruprich-Robert ; à Langeais par Lucien Roy ; à Chenonceaux par Roguet ; à Blois par Félix Duban ; à Villandry par le Dr. Carvallo ; à Azay-le-Rideau par J. Hardoin ; au Plessis-lez-Tours par le Dr. Chaumier ; à Chaumont par la Morandière et Sanson ; à Lassay par Joly-Leterme !

Que de prouesses ne doit-on pas aussi à l'administration des Beaux-Arts, aux Conservateurs et aux Services Départementaux qui, avec des moyens réduits au-delà du possible, ont réalisé — et réalisent encore — des miracles ! N'oublions pas, dans ce palmarès, les grandes familles encore propriétaires de certains châteaux, et qui, en dépit de la rapacité du fisc, se refusent à abandonner leurs demeures.

Elles aussi font des miracles !...

Certains propriétaires, écrasés par une trop forte cote mobilière, ont préféré quitter leur château. Afin de prouver — la loi l'exige — qu'il ne s'agit plus que d'un château destiné aux touristes, ils ont dû enlever matelas et batterie de cuisine de la demeure...

DE GIEN A NANTES

PETIT GUIDE
DU
VAL DE LOIRE

LE CHATEAU D'AZAY-LE-RIDEAU.
(Photothèque Française. Cliché Lapie)

LE CHATEAU DE BLOIS. LE FAMEUX ESCALIER DE FRANÇOIS Ier ET LA COUR INTÉRIEURE.

LE PONT DE TOURS.
(Roger Viollet)

LE CHATEAU DE VENDOME.

LE CHATEAU DE VILLANDRY PENDANT LE SPECTACLE SON ET LUMIÈRE

LE CHATEAU D'USSÉ (XVe ET XVIe SIÈCLES).

ANCENIS

Du vieux *château,* il subsiste un *corps de logis* (XVIe siècle), les *tours* et une *galerie* du XVe. Il fut habité par François II, duc de Bretagne, qui y signa avec Louis XI, en 1468, le traité d'Ancenis. Au XVIIe, furent élevés des bâtiments de moindre importance. Le château est aujourd'hui un pensionnat que l'on peut visiter pendant les vacances, en sollicitant l'autorisation.

ANGERS

LA VILLE. — Sous les Plantagenets, capitale des possession anglaises sur le continent. A la mort de Richard Cœur de Lion, à Chinon, et après celle de son héritier Arthur, duc de Bretagne (assassiné par son oncle Jean sans Terre), Angers appartint à Philippe Auguste. En 1246, Saint Louis donna la province à son frère Charles Ier, plus tard roi de Naples et de Sicile. Puis le duché, après un retour à la couronne, devint en 1360, la propriété du second fils du roi : Jean le Bon, premier duc d'Anjou. La branche s'éteignit en 1481 à la mort du roi René, comte de Provence et roi des Deux-Siciles. Henri III — à contrecœur — donna le duché à son frère Alençon, dernier duc apanagiste d'Anjou (voir pp. 145, 146).

* *Logis Barrault,* délicieux hôtel construit en 1487 par Olivier Barrault (voir p. 155). * *Ancien Evêché* édifié au XIe (style « roman civil », une rareté), XIIIe, XVe, XVIe et XIXe siècles. * Le *musée des Tapisseries* est un des plus remarquables du monde. Les pièces maîtresses en sont ssurément la *Tenture de la Passion du* XVe et surtout l'admirable, et justement célèbre, *Tapisserie de l'Apocalypse* exécutée

à la fin du XIVe par Jean Bandol, de Bruges (voir p. 64).

* *Cathédrale Saint-Maurice :* (XIIe et XIIIe siècles). Voir principalement le portail du XIIe orné de statues dont on devine encore la peinture primitive.

LE CHATEAU fut construit sous Saint Louis de 1228 à 1238. C'est peut-être la plus belle forteresse de France : 952 mètres de circonférence ; 17 grosses tours de 40 à 60 mètres de hauteur. Henri III, afin d'éviter que les protestants n'aient l'idée de prendre le château, ordonna sa destruction. Fort heureusement, grâce au gouverneur, les tours ne furent rasées que jusqu'à la courtine. Trois tours ne perdirent même qu'un étage. Dans la *cour intérieure,* se trouve une jolie chapelle du XVe, fort abîmée par les bombardements de 1944 mais déjà remise en état. Très belle vue du haut de la tour Nord.

GRANDES HEURES : voir pages 51, 126, 130, 135, 140, 145, 151 à 155, 199, 214.

AVARAY

Cet imposant *château,* entouré de douves profondes et pavées, a été construit au XVIIIe siècle, mais en s'inspirant du style Louis XIII. Il se trouve flanqué de quatre tours du XIIIe. C'est l'un des seigneurs de la terre d'Avaray, Gabriel II de Montgomery, qui blessa mortellement Henri II dans un tournoi. Le château passa en diverses mains avant de devenir propriété de Besiade, duc d'Avaray sous Louis XIV. La famille d'Avaray — dont l'un des membres fut l'ami et le confident de Louis XVIII — garda le château jusqu'en 1922.

AZAY-LE-RIDEAU

Ce château, l'un des plus exquis de Touraine, fut construit de 1518 à 1529, par Gilles Berthelot, trésorier des finances de François Ier, et maire de Tours. Le Maître d'œuvre fut Etienne Rousseau. Il subsiste ici des éléments du château féodal (tourelles, chemin de ronde, mâchicoulis), mais ornés de toutes les grâces de la Renaissance (encadrement des doubles fenêtres superposées de l'escalier, lucarne gigantesque de la façade du midi, pilastres à l'antique de l'entrée, etc.).

GRANDES HEURES : voir pages 31, 94, 238.

PROPRIÉTAIRES : La demeure fut confisquée par François Ier. Nombreux propriétaires, parmi lesquels Henri de Beringhen, au XVIIe siècle. Depuis 1905, le château appartient à l'Etat.

BAUGÉ

Le *château,* du XVe. Remarquable escalier placé dans une tourelle à pans coupés (voir p. 136). *L'hôpital.* Visiter la *pharmacie* où se trouve une intéressante collection de pots de faïence.

BEAUGENCY

LE DONJON rectangulaire dit la *tour de César,* fut construit à la fin du XIe siècle. Il a 36 mètres de hauteur. A « assisté » à toutes les guerres de religion, fut pris et repris sans cesse par protestants et catholiques. Les voûtes des cinq étages se sont effondrées au siècle dernier.

L'HOTEL DE VILLE : date de la première partie du règne de François Ier. Au premier étage ne pas manquer d'aller admirer huit panneaux de magnifiques broderies datant du XVIIe siècle.

GRANDES HEURES : voir pages 14, 38, 130, 232.

BEAULIEU

GRANDES HEURES : voir pages 122, 147.

BEAUREGARD

Belle demeure Renaissance construite de 1545 à 1553, sans doute par l'ami de Ronsard, Jean du Thier, secrétaire d'Etat de Henri II. Certains historiens — sans preuves — affirment que le château fut un rendez-vous de chasse de François Ier et qu'il aurait, en ce cas, été construit en 1520. Quoi qu'il en soit, l'aile en retour date de 1631-1638.

CURIOSITÉ : La célèbre *galerie des Portraits* datant du début du XVIIe siècle et comprenant 363 portraits, de Philippe VI de Valois à Louis XIII. L'ensemble est accompagné de peintures de l'artiste blésois Mosnier.

Le carrelage bleu de la galerie (faïence de Delft) représentant une armée du temps de Louis XIII, est fort précieux pour l'histoire du costume militaire.

BEAUVAIS

Château situé non loin de Thouars, achevé en 1527 et où le 23 septembre 1800 fut mystérieusement enlevé le sénateur Clément de Ris, par de soi-disant bandits, en réalité par les agents de police agissant sur l'ordre de leur maître Fouché désireux de reprendre des papiers compromettants confiés au sénateur. Seize jours plus tard, après une incarcération dans une cave qui n'a pu être localisée, Clément de Ris fut libéré et revint à Beauvais. Bonaparte exigea de son ministre de la police l'arrestation des coupables. Fouché ne pouvant arrêter ses propres agents livra à la justice trois malheureux chouans, parfaitement innocents, qui, jugés à Tours, y furent décapités.

BLOIS

LE CHATEAU appartint d'abord au comte de Blois, puis au duc Louis d'Orléans, mari de Valentine Visconti, et à leur fils, le poète Charles d'Orléans, père du roi Louis XII. Ensuite, jusqu'au XVIIe siècle, l'histoire du château se confond avec celle de l'histoire du pays. C'est aujourd'hui, après Versailles, le château le plus visité de France.

CONSTRUCTION :

Aux XIIIe-XIVe siècles : * *salle des Etats* (voir p. 162) et *tour de Foix*. De 1498 à 1503 : * *aile Louis XII* (gothique italianisé) (voir p. 84). C'est une jolie façade en briques donnant sur la place du château. Les deux fenêtres à balcon sont celles des chambres du roi Louis XII (à gauche) et du cardinal d'Amboise (à droite). Les deux hommes conversaient, dit-on, chacun accoudé à sa fenêtre. La façade intérieure repose sur une longue galerie soutenue par des piliers ornés d'arabesques. * *Aile François Ier :* construite de 1515 à 1524 ; style Renaissance. Architectes Colin Biard et Jacques Sourdeau (voir page 95). A VOIR PRINCIPALEMENT : Le grand escalier à jour — un ensemble admirable — et les loggias superposées de la façade extérieure. Au premier étage, appartements de Catherine de Médicis (cabinet orné de 237 panneaux sculptés). Au second, appartement de Henri III et salle du Conseil (voir plans page 172). * *Aile Gaston d'Orléans :* construite par Mansard en 1635. Style classique (voir pp. 203, 204).

GRANDES HEURES : voir pages 18, 32, 33, 67, 68, 73, 79, 80, 84, 88, 89, 90, 95, 98, 114, 122, 127 à 130, 133, 137, 148, 161 à 184, 191 à 197. 201, 205, 226 à 232, 238.

POINT DE VUE : Gagner le petit jardin qui domine la place Victor-Hugo. C'est de là que vous verrez le mieux les loggias de la façade François Ier.

PAVILLON D'ANNE DE BRETAGNE : Place Victor-Hugo. Ici la femme de Charles VIII et de Louis XII fit de nombreuses neuvaines pour obtenir un héritier.

HOTEL D'ALLUYE (8, rue Saint-Honoré) : Façade briques et pierre. Style Renaissance. L'hôtel a été construit au début du XVIe siècle par Florimond Robertet, baron d'Alluye, trésorier de France sous Charles VIII, Louis XII et François Ier. (Sa demeure des champs était le château de Bury.) Voir surtout dans la cour la double galerie ornée de médaillons en terre cuite.

BOURGUEIL

GRANDES HEURES : voir page 136.

BRISSAC

GRANDES HEURES : voir page 200.

BURY

Château, en ruine, construit au début du XVIe siècle par Florimond Robertet qui possédait également l'*Hôtel d'Alluye* à Blois. Le logis actuel (style fin XVe) est moderne.

CANDES

Eglise fortifiée des XIIe, XIIIe et XVe siècles. Le porche Saint-Michel (XIIIe) est composé de trois étages d'arcs ornés de statues. La nef (également du XIIIe) est d'une rare beauté.

CHAMBORD

De pur style Renaissance, cette merveille de pierre est peut-être la plus belle demeure de la Loire ou, tout au moins, celle qui offre la plus grande unité. Le château a été construit pour François Ier, sans doute par l'Italien Dominique Cortone dit *Le Boccador,* aidé par les maîtres d'œuvre Jacques Sourdeau, Pierre Neveu, Denis Sourdeau, etc. 1.800 ouvriers travaillèrent à Chambord de 1519 à 1534. Les ailes furent achevées sous Henri II. Voici quelques chiffres : longueur du bâtiment : 156 mètres; nombre de pièces : 440; nombre de cheminées : 365. A VOIR PARTICULIÈREMENT : * Le célèbre escalier à double révolution qui est une splendeur. * La terrasse où la fantaisie, et aussi l'excès architectural, se donnent libre cours. * Au centre, la fameuse *lanterne* (voir p. 16).

GRANDES HEURES : voir pages 16, 17, 47, 98 à 100, 145, 204, 209 à 221, 237.

PROPRIÉTAIRES : Demeure de François Ier :

— Allons chez moi ! disait le roi lorsqu'il partait pour Chambord.

Puis le château appartint à la couronne jusque sous Louis XIII.

Pour l'histoire du château depuis Gaston d'Orléans jusqu'en 1815, voir pages 204, 209 à 221.

En 1815, le domaine fut affermé pour 4.000 francs à un baronnet anglais, le comte Thornton, qui transforma la chapelle en chenil. En 1821, la veuve du maréchal Berthier, avec l'autorisation du roi, mit le château en vente. Une souscription nationale racheta Chambord, pour un million et demi, afin de l'offrir au duc de Bordeaux, fils du duc de Berry, qui prit en exil — un exil d'un demi-siècle — le nom de comte de Chambord. A la mort de la comtesse de Chambord, « veuve de Henri V », le domaine devint la propriété des princes de Bourbon-Parme. Le prince Elie ayant servi durant la guerre de 1914 dans l'armée autrichienne, l'Etat put racheter Chambord en 1932 pour la somme de 11 millions y compris les voitures d'apparat destinées au comte de Chambord pour son entrée dans Paris... et qui, on le sait, n'eut jamais lieu (Voir pages 220 et 221). Pendant la dernière guerre, Chambord abrita les collections du Louvre.

CHANTELOUP (près d'Amboise)

Il ne reste du château du duc de Choiseul que la pagode « Louis XVI », construite au XVIIIe siècle par Le Camus. La hauteur de la tour est de 40 mètres Elle compte six étages en retraits successifs. Au sommet (altitude 162 mètres), très beau panorama qui vous paie des fatigues de l'ascension.

CHATEAUDUN

LA VILLE qui appartint à Dunois, le Bâtard d'Orléans — compagnon de Jeanne d'Arc — fut plus tard chaudement disputée par les protestants et les catholiques. Elle fut incendiée en 1570 par les habitants de Blois et d'Orléans, puis par les Ligueurs, en 1590.

LE CHATEAU qui domine la ville date principalement du XVe siècle. Il est dû à Dunois. Une aile a été construite au XVIe par François II d'Orléans-Longueville. * Le *donjon* — auquel est accolée la *Sainte-Chapelle* du XVe (style flamboyant) — est un des vestiges les plus intéressants de l'architecture médiévale. Il daterait de la fin du Xe siècle... mais peut-être a-t-il cent ans de moins, ce qui lui confère tout de même un âge plus que respectable. Il est coiffé de poivrières. Les murs ont quatre mètres d'épaisseur. * Par un bel escalier gothique, joliment sculpté, on atteint une pièce qui a conservé sa remarquable charpente du XVe siècle. * Des mâchicoulis, on découvre une vue magnifique sur la vallée.

GRANDES HEURES : voir pages 122, 225.

CHATEAUNEUF-SUR-LOIRE

Château commencé à l'époque gothique, achevé au XVIIe siècle. Il n'en reste plus aujourd'hui que des fragments, principalement la *Rotonde octogonale* (actuellement l'hôtel de ville) et les pavillons de l'avant-cour. Saint Louis et Blanche de Castille vécurent à Châteauneuf-sur-Loire. Charles IV y mourut.

CHATEAURENAULT

Le *donjon* du XIIe a été construit par Thibaut de Champagne. Le logis d'habitation date des XIVe, XVIe et XVIIIe siècles.

CHAUMONT

CONSTRUCTION. — Construit par Pierre, Charles Ier et Charles II d'Amboise de 1465 à 1510. C'est un beau château-forteresse de la fin du style gothique. * La cour offre un aspect plus aimable. (Style flamboyant.) L'aile nord du château a été démolie au XVIIIe siècle pour dégager la vue sur la Loire. Sur les murs et frontons

se voient de nombreux emblèmes : *C* de Charles d'Amboise, initiales de Louis XII et d'Anne de Bretagne, *D* de Diane de Poitiers. Il y a même (au niveau du rez-de-chaussée) un rébus : une montagne qui brûle (*Chaud-Mont*).

INTÉRIEUR. — A voir : *chambre de Catherine de Médicis, chambre de Ruggieri, chambre* dite *de Diane de Poitiers.*

GRANDES HEURES : voir pages 106, 107, 238.

PROPRIÉTAIRES : La famille d'Amboise au XVe siècle; Catherine de Médicis et Diane de Poitiers au XVIe ; Henri de La Tour d'Auvergne, le banquier Sardini et le duc de Saint-Aignan au XVIIe ; Nicolas de Vaugien, Jacques Le Ray au XVIIIe ; le comte d'Aramont, Mademoiselle Say (devenue princesse A. de Broglie) au XIXe. Enfin, en 1938, l'Etat acheta Chaumont pour 1.800.000 francs.

CHENONCEAUX

Le *château* le plus « spectaculaire » de Touraine, fut construit par Thomas Bohier de 1511 à 1522. (Style du début Renaissance.) * Le *pont* a été bâti par Philibert Delorme pour Diane de Poitiers (voir p. 105). * La *galerie sur le Cher* fut commencée par Philibert Delorme en 1560 sur l'ordre de Catherine de Médicis (voir pp. 110 et 137).

A VOIR PRINCIPALEMENT : La *salle des Gardes,* le *cabinet Vert,* la fameuse *librairie* au plafond sculpté, la *chambre de Diane,* la *grande galerie* sur le Cher, etc.

GRANDES HEURES : voir pages 17, 94, 104 à 110, 115, 121, 122, 137, 150, 185, 189 et 190, 238.

PROPRIÉTAIRES : Catherine légua le château à Louise de Vaudémont-Lorraine, femme de Henri III, qui y vécut jusqu'en 1601. Ensuite, le domaine appartint aux ducs de Vendôme, à Marie-Anne de Bourbon, à la princesse douairière de Condé, enfin en 1730 à Dupin, fermier général, qui rendit à Chenonceaux sa splendeur d'antan. Depuis 1913, le château appartient à M. Meunier qui a su admirablement le faire restaurer. De 1940 à 1944, la ligne de démarcation passait par le Cher. De ce fait, le château servit de lieu de passage entre les deux zones.

CHEVERNY

Le château a été construit au XVIIe siècle (très exactement en 1634) par Boyer, pour Hurault de Cheverny dont le descendant, le comte de Vibraye, est encore propriétaire du château. Les appartements dont la décoration n'a pas été altérée par le temps comptent parmi les merveilles de la France. Il faudrait tout pouvoir citer, depuis les tapisseries du *petit salon* ou de la *salle des Gardes*, les lambris de la *salle à manger*, les tableaux du *grand salon* jusqu'à la splendide *chambre du Roi* ornée de huit tapisseries des Gobelins et où l'on peut voir le coffre dont Henri IV se servait en voyage.

CHINON

LE CHATEAU — en partie en ruine — est composé de trois forteresses, séparées entre elles par des douves, et construit par les comtes de Blois, les comtes d'Anjou, les rois d'Angleterre et les rois de France du Xe au XVe siècle.

* LE CHATEAU DU COUDRAY flanqué de la tour de Boissy (XIIIe siècle) et de la tour du Moulin (XIIe), construit par Henri II Plantagenet. La courtine date en partie du Xe. Voir encore la chapelle où pria Jeanne d'Arc. * LE CHATEAU DU MILIEU : on y accède

LE CHATEAU DE CHAMBORD PENDANT LE SPECTACLE SON ET LUMIÈRE.

Le Chateau de Chaumont.

LE CHATEAU DE CHENONCEAUX.

(Photothèque Française)

LE CHATEAU DE CHEVERNY.
(Photothèque Française)

LE CHATEAU DE CHINON.
(Photothèque Française)

LE CHATEAU DE LANGEAIS.
(Roger Viollet)

LE CHATEAU DE SAUMUR.

(Photothèque Française)

LE CHATEAU DE SULLY-SUR-LOIRE.

AMBOISE

LE CHATEAU. — Charles VIII conserva le vieux château où il était né et où Louis XI avait si souvent résidé. Sur les emplacements libres il entreprit de vastes travaux qui furent menés par Biard, Senault, et, au retour du roi d'Italie, par le célèbre Boccador. Il ne reste plus de l'immense ensemble que :

* Le *logis du roi,* de style fin gothique (commencé en 1491 (voir p. 63). Les fenêtres de la *salle des Etats* donnent sur le fameux *balcon des conjurés* (voir p. 96). * L'*aile Louis XII* (côté opposé à la Loire) style début Renaissance. L'étage supérieur fut d'ailleurs achevé sous François Ier qui passa une grande partie de son enfance à Amboise (voir p. 78). * La *tour des Minimes* (21 mètres de diamètre), construite par Charles VIII. Une rampe d'accès

permettait aux cavaliers de monter à cheval jusqu'aux appartements (voir p. 63). Au sommet, vue magnifique sur la Loire. * La *tour Hurtault* (24 mètres de diamètre), également construite sous Charles VIII. Début du style Renaissance en France. La rampe d'accès est semblable à celle de la *tour des Minimes*. * La *chapelle Saint-Hubert*. Bijou gothique. Le croisillon droit fut atteint par un obus en juin 1940. A remarquer le linteau de la porte qui serait l'œuvre d'un artiste flamand. Les restes de Léonard de Vinci auraient été inhumés dans le croisillon gauche de la chapelle.

GRANDES HEURES : voir pages 17, 18, 38, 49, 50, 57, 58, 59, 63 à 69, 78 à 80, 89 à 91, 93, 98, 99, 115 à 122, 137, 173, 187, 193, 237, 238.

PROPRIÉTAIRES. — Rois et reines de France de Charles VIII à Henri III, qui tous y résidèrent ou y passèrent. Devenu ensuite prison d'Etat, le cardinal de Bourbon, les Vendômes (fils de Henri IV et de Gabrielle d'Estrées), Lauzun et Fouquet y furent enfermés. Le château devait ensuite appartenir à Choiseul puis au duc de Penthièvre dont la fille et unique héritière, Marie-Adélaïde, épousera le duc de Chartres, futur Philippe-Egalité, père du roi Louis-Philippe. C'est pourquoi le château est aujourd'hui propriété des princes de la Maison de France. Sous l'Empire, Napoléon donna Amboise à l'ex-consul Roger Ducos. Les devis de réparations ayant paru trop élevés au Sénat Conservateur, celui-ci fit jeter à bas les trois quarts des bâtiments (voir p. 237). Signalons encore qu'Abd el-Kader exilé vécut dans la *salle des Etats* transformée en appartements.

Ne pas manquer de traverser la Loire et de revenir ensuite à pas lents afin d'admirer le château dominant la petite ville.

LA VILLE. — *Hôtel de ville* (époque François Ier) construit par Pierre Morin, maire de Tours.

par la tour de l'Horloge construite aux XIIe et XIVe siècles. Il ne reste du *Grand Logis* qu'un mur de la *salle du Trône* où fut reçue Jeanne d'Arc (voir p. 27). * Le château dit LE FORT SAINT-GEORGES : ouvrage avancé qui n'offre qu'un intérêt secondaire.

GRANDES HEURES : voir pages 17, 25 à 31, 38, 41, 43, 51, 71, 72, 77, 122, 198.

LA VILLE : * *Le Grand Carroi* (carrefour *rue Voltaire*) : rien ne semble ici avoir bougé depuis Richard Cœur de Lion. On y voit encore le *puits de Jeanne d'Arc* (voir p. 17). * Un peu plus loin, la maison où Jeanne attendit l'audience royale (voir p. 27). * *Rue Voltaire :* voir particulièrement les maisons portant les n°s 52, 62, 71, 78. * *Rue Jean-Jacques-Rousseau :* au n° 15, la maison dite de Rabelais.

L'ÉCHO DE CHINON : sûr la route de Tours (N. 751), prendre le sentier à hauteur et en face du chemin conduisant au château. Après dix minutes de marche, vous arrivez à un point de vue. Là, en vous tournant vers les remparts, parlez distinctement, sans pousser des cris excessifs... L'écho répétera jusqu'à dix syllabes.

CINQ-MARS-LA-PILE

Du château, il ne reste que les tours « rasées à hauteur d'infamie » sur l'ordre du cardinal de Richelieu. C'est là que naquit Henry, marquis de Cinq-Mars, favori de Louis XIII, décapité en 1642 (voir p. 205).

Le nom de « pile » vient d'une pile romaine, ou plutôt gallo-romaine, tour d'une vingtaine de mètres qui domine le coteau.

CLÉRY

MAISON DE LOUIS XI. — En briques. C'est aujourd'hui une école.

La BASILIQUE. — Bel ensemble de style gothique flamboyant. Construite à la suite d'un vœu par Charles VII et par Louis XI, l'église a été restaurée par Henri IV après les guerres de religion. La statue qui surmonte le tombeau de Louis XI ayant été détruite par les huguenots (voir p. 127) celle que l'on peut voir aujourd'hui date du début du XVIIe. Le monument démoli sous la Restauration a été reconstruit à la fin du siècle dernier. Les ossements de Louis XI et de sa femme, Charlotte de Savoie, furent retrouvés et déposés dans le *Caveau royal*. Dans une urne, a été placé le cœur de Charles VIII.

COUDRAY-MONTPENSIER

Beau château gothique couronné de mâchicoulis. Reconstruit à la fin du XIVe siècle par Marie de Blois, femme de Louis Ier d'Anjou, et achevé au début du XVe, pour la famille Bournan. En 1481, Louis de Bourbon, seigneur de Montpensier, acheta le domaine du Coudray et y accola son nom. Le château fut acquis en 1927 par Maurice Maeterlinck.

COUZIÈRES

GRANDES HEURES : voir page 198.

CUNAULT

Une des plus belles églises romaines de France, construite entre 1110 et 1144 et comptant 200 chapiteaux sculptés. Des fresques du XVe siècle se voient encore sur les murs et les piliers. On remarque également les restes de la *Litre,* bande peinte en noir, portant les armoiries du seigneur et qui faisait le tour de l'église. La *Litre* était placée d'autant plus haut sur la muraille que la noblesse du seigneur était importante et ancienne.

DURTAL

GRANDES HEURES : voir page 135.

FONTEVRAULT

ABBAYE fondée à la fin du XIe siècle, refuge de reines répudiées et de filles royales sans époux. Les abbesses (parmi lesquelles on compte des princesses de Bourbon et des dames des plus anciennes Maisons de France) dirigeaient à la fois la communauté des hommes et celle des femmes.

* Dans l'église, *le Grand Moûtier* construit au XIIe siècle, se trouvent les tombeaux de Henri II Plantagenet, d'Eléonore de Guyenne et de Richard Cœur de Lion. L'Angleterre désirerait posséder ces tombeaux, mais la dernière volonté de ces souverains anglais, comtes d'Anjou, ne fut-elle pas d'être inhumés à Fontevrault ?

LA CUISINE DE L'ABBAYE : célèbre ensemble octogonal comprenant une vingtaine de cheminées et de foyers.

Une grande partie de l'abbaye est aujourd'hui maison centrale de détention.

FOUGÈRES

Forteresse gothique de la fin du XVe siècle, construite par le trésorier de Louis XI, Pierre du Refuge. Le château bardé de mâchicoulis, ceinturé de tours, enserre une cour intérieure. C'est le « type » même du château fort dont on n'a pas, au XVIIIe siècle — comme à Chaumont ou à Ussé — démoli une des ailes de la cour afin de dégager la vue des appartements.

GIEN

Toute la ville a terriblement souffert en juin 1940. Bien des vieux logis ne sont plus !

LE CHATEAU, en briques rouges et noires, a été très endommagé en 1940, mais les dégâts sont réparables. Il fut bâti à la fin du XVIe siècle par Anne de Beaujeu (voir pp. 17 et 87).

HERBAULT

Joli logis Renaissance (pierre et briques) flanqué de tours féodales, construit pour François de Fayal, maître d'hôtel de François Ier.

JARZÉ

GRANDES HEURES : voir page 135.

LA MORINIÈRE

Charmant logis du XVIe siècle entouré d'eau et construit en briques rouges et noires. Les lucarnes sont incrustées d'ardoises et de pierres blanches.

LANGEAIS

FORTERESSE féodale construite de 1455 à 1470 pour Jean Bourré, secrétaire et ami du roi Louis XI. C'est un des rares châteaux féodaux de France qui soient demeurés encore intacts.

GRANDES HEURES : voir pages 14, 17, 60 à 62, 136, 238,

PROPRIÉTAIRES : François d'Orléans, comte de Dunois ; Jeanne de France, fille naturelle de Louis XI ; Louise de Lorraine, princesse de Conti ; baron de Cinq-Mars, fils du maréchal d'Effiat ; les ducs de Luynes. Son dernier propriétaire fut Jacques Siegfried qui légua en 1904 son château à l'Institut.

* Voir principalement la salle où fut signé le contrat de mariage de Charles VIII et d'Anne de Bretagne (voir p. 61). On y admire sept tapisseries d'Aubusson du début du XVIe siècle ; la *salle des Gardes* où l'on remarque une superbe cheminée dont le manteau reproduit le chemin de ronde du château. Au mur, deux belles tapisseries des Flandres.
* Voir également la *chambre de Charles VIII.*
* N'hésitez pas à parcourir les 130 mètres du chemin de ronde d'où l'on découvre une très belle vue.

LA VILLE : sur la place, devant le château, belle maison Renaissance où Rabelais aurait séjourné.

LASSAY-SUR-CROISNE

LE CHATEAU DU MOULIN. — Construit à la fin du XVe siècle par Jacques de Persigny, pour Philippe du Moulin, mort à Fornoue où il sauva la vie du roi Charles VIII. Le château a été fort adroitement restauré par l'architecte des Monuments Historiques, Charles Genuys. Lassay est surtout remarquable par la fantaisie pittoresque de son plan, par les briques losangées, noires et rouges, décorant ses murailles, par ses larges douves et, enfin, par son *ancienne cuisine* où l'on admirera la vaste cheminée et le pilier octogonal unique sur lequel retombent gracieusement les voûtes.

L'intérieur a été aménagé avec infiniment de goût par M. de Marchéville, propriétaire du château, qui en autorise la visite sur demande adressée par lettre (voir p. 238).

LAVARDIN

LE CHATEAU. — Ruines imposantes longues de près de 200 mètres et dominant le Loir. Henri II Plantagenet et Richard Cœur de Lion assiégèrent vainement la forteresse qui appartenait au comte de Vendôme. Plus heureux les Ligueurs réussirent à occuper Lavardin à la fin du règne de Henri III.

* Au cœur de la triple enceinte se dresse le *donjon,* construit aux XIe et XIIe siècles et démantelé en 1589, sur l'ordre de Henri IV, par le prince de Conti, son cousin. * Du haut du chemin de ronde, la vue est splendide, mais l'ascension, par de roides échelles, n'est pas recommandées aux personnes peu agiles ou sujettes au vertige.

L'EGLISE. — Très bel ensemble du XIe siècle. * Voir particulièrement les remarquables peintures murales dont certains fragments datent du XIIe. * Le *bas-côté nord* du chœur a été reproduit pour le Palais de Chaillot, à Paris.

LE LUDE

Imposante et belle demeure sur le Loir. Véritable « pot-pourri » de tous les styles, depuis le moyen âge jusqu'au XIXe siècle. Sa visite pourrait servir d'illustration à un cours pratique d'architecture. Les tours moyenâgeuses, percées de fenêtres Renaissance, rétablissent un équilibre compromis par la diversité des styles des façades extérieures : *aile sud,* François Ier ; *aile nord,* gothique (fin XVe) ; *aile ouest,* Louis XVI, tandis que sur la *cour intérieure* l'architecture de ces trois ailes est d'époque Henri IV. Au nord-ouest, on trouve même une tour construite en 1855 et qui est une copie du style Renaissance, genre Chambord.

A L'INTÉRIEUR. * Voir spécialement l'*oratoire* de l'aile François Ier, qui est orné de fort jolies peintures murales. L'ameublement compte de belles œuvres d'art et des ensembles — chambre de Henri IV, chambre de Louis XIII — qui valent la peine de solliciter l'autorisation de la visite.

PROPRIÉTAIRES : Jean de Daillon, ami de Louis XI, qui construisit la plus grande partie du Lude à la fin du XVe siècle. Brouillé avec le roi, il dut s'enfuir et se cacher. Il quitta Le Lude et vécut durant sept ans dans une grotte de la vallée de la Maulne (non loin de la route conduisant à la Vallière). On montre encore cet asile, humide en vérité, mais qui valait mieux assurément que la cage préparée par les soins de Louis XI à l'intention de son ex-ami. Le dernier Daillon mourut sans postérité en 1685. Depuis la fin du XVIIIe siècle, le château appartient à la famille de Talhouët.

LOCHES

LE CHATEAU. — *Une vaste enceinte* de deux kilomètres de tour enserre, outre un quartier de la ville :

* LA PORTE DU CHATEAU (par laquelle on pénètre dans l'enceinte). Elle date du XVe siècle et se trouve flanquée de deux tours du XIIIe, renfermant un musée local.

* L'ÉGLISE SAINT-OURS des XIe et XIIe siècles, construite pour garder la ceinture de la Vierge.

* A la pointe sud : LE DONJON, cœur d'une des plus importantes forteresses de France. Jean sans Terre, l'inévitable Richard Cœur de Lion et Philippe Auguste en furent les successifs propriétaires après — on s'en doute — de sanglants combats. Le donjon se subdivise en :

Le *vieux donjon* (37 m.), construit au XIe siècle, qui se compose de deux rectangles accolés et qui est « creux ». Voûtes et planchers ont disparu. Du sommet, on embrasse une vue magnifique. — * Le *nouveau donjon* (dit aussi la *tour Ronde*) construit par Louis XI au XVe siècle. On y voit la * *salle de la Question* (« Cage » de La Balue dans une embrasure. Voir p. 47 à p. 51). — * Le *Martelet* du XVIe siècle. C'est là que se trouvent les cachots célèbres ornés de graffiti et même de sculptures. Le duc de Milan, les évêques du Puy et de Bourges, le père de Diane de Poitiers et combien d'autres y furent enfermés.

* A l'extrémité opposée de l'enceinte (au sud) : le LOGIS DU ROI où demeurèrent Charles VII, Jeanne d'Arc, Agnès Sorel, Louis XI, Charles VIII, Louis XII, Anne de Bretagne. Il se subdivise en :

* Le *vieux logis* d'allure féodale construit par Charles VII. — * Le *nouveau logis,* joliment décoré, élevé par Charles VIII et surtout par Louis XII. Voir principalement le délicat oratoire d'Anne de Bretagne. — * La *tour d'Agnès Sorel* où se trouve son tombeau (voir p. 45).

GRANDES HEURES : voir pages 15, 17, 19, 25, 29, 37, 38, 45 à 51, 66, 122, 198.

LA VILLE. — * L'*Hôtel de Ville* (Renaissance), * la *porte Picoys* (aujourd'hui bibliothèque), * la *tour Saint-Antoine* (XVIe siècle) * la *porte des Cordeliers* (XVe, fenêtres sculptées), * l'*hôtel Nau,* 13, rue Saint-Antoine (façade Renaissance ornée d'une jolie galerie).

LUYNES

Belle et imposante forteresse féodale construite du XIIe au XVe siècle par la famille de Maillé. Le logis a été élevé par Hardouin de Maillé au début du règne de Louis XI. En 1619, Charles d'Albret, favori de Louis XIII, acheta le château aux comtes de Maillé et Louis XIII érigea la terre en duché. Le château ne se visite pas, mais la silhouette de la forteresse, dominant le bourg vaut le déplacement.

MARCHENOIRE

GRANDES HEURES : voir pages 114, 122.

MENARS

Menars fut commencé au XVIIe siècle. Les Leczinski, beaux-parents de Louis XV, fuyant l'été les miasmes de Chambord, y résidèrent (voir p. 212).

Le château devint ensuite la demeure de la maîtresse du roi, la marquise de Pompadour, qui, avec son frère Marigny, en fit achever la construction par les architectes Gabriel et Soufflot.

Le château ne se visite pas, mais la promenade dans le parc suffit à notre bonheur. (Surtout ne pas manquer de suivre l'*allée des Tilleuls* dominant la Loire.)

MONTBAZON

GRANDES HEURES : voir pages 49, 188.

MONTRÉSOR

CHATEAU GOTHIQUE construit tout au début du XVIe siècle par Imbert de Bastarnay, seigneur de Montrésor. Il est entouré d'une double enceinte médiévale, élevée par Foulques Nerra à la fin du Xe siècle. * Foire le tour du promontoire fortifié. * *A l'intérieur,* meubles d'époque et tableaux de maîtres (*La femme adultère* de Véronèse).

PROPRIÉTAIRES : Les Plantagenets, Philippe Auguste, les Maisons de Palluau, de Buel, de Villequier, de Bastarnay, de Lorraine, de Bourdeilles, de Beauvillier-Saint-Aignan de La Roche-Aymon. En 1849, Montrésor fut acheté par la famille Branicki.

Dans l'EGLISE (première moitié du XVIe) se trouvent les tombeaux des Bastarnay.

MONTREUIL-BELLAY

Le château — un des plus beaux ensembles de l'Anjou — s'élève à l'ouest d'une vaste enceinte. Il comprend quatre bâtiments :

* Le *Châtelet* (XIIIe et XIVe siècles). — * Le *Château neuf* (XVe, adroitement restauré au XIXe). Dans l'une des tourelles de la cour (ornée de six étages de fenêtres à meneaux) se trouve un bel escalier que le duc de Longueville paria de monter à cheval... — * Le *Petit château,* qui fut autrefois la résidence de chanoines et contient quatre petits appartements indépendants. — * La *cuisine* (XVe siècle), Une pyramide rappelant la fameuse cuisine de Fontevrault.

PROPRIÉTAIRES : Foulques Nerra et les Plantagenets. Montreuil-Bellay appartint ensuite aux Harcourt, Longueville, La Meilleraye, Brissac, La Trémoille. Il est aujourd'hui propriété de la famille de Grandmaison.

GRANDES HEURES : voir pages 15, 238.

MONTRICHARD

LE CHATEAU est une puissante forteresse en partie en ruine et qui fut élevée par Foulques Nerra (ce comte d'Anjou était un terrible bâtisseur !). Quelques bâtiments datent du XVe siècle. Le « morceau » le plus spectaculaire est assurément * le *donjon* du XIIe, qui fut démantelé par Henri IV. C'est un puissant et énorme quadrilatère dont les murs ont plus de trois mètres d'épaisseur et qui se trouve entouré, à quelques mètres seulement, par sa *chemise* crénelée (première — ou ultime — enceinte).

GRANDES HEURES : voir pages 16, 196, 197.

MONTSOREAU

Imposant château construit au milieu du XVe siècle et appartenant au département de Maine-et-Loire. Le Préfet, en 1938, obtint le départ des quinze familles qui y campaient. La façade sur la Loire « trempait » autrefois dans les eaux du fleuve. De style gothique — mais agrémenté de tourelles Renaissance — le château appartenait à Charles de Chambes, seigneur de Montsoreau, homme de mœurs paisibles, affirment les Chroniqueurs... mais qui, en 1579, n'en assassina pas moins, au château de la Coutancières, le « brave Bussy », amant de la *dame de Montsoreau* que Dumas devait rendre célèbre (voir pp. 155 à 159). Ce dit « paisible » sieur de Montsoreau massacra également des protestants en grand nombre, mais cette occupation était alors considérée comme œuvre pie par maint gentilhomme.

NANTES

LA VILLE. — L'histoire de Nantes exigerait un volume. Quelle passionnante histoire que celle de cette antique cité ! Histoire qui, depuis l'occupation romaine, depuis la destruction totale de la ville par les Vikings (843-939), nous conduit à l'âpre figure de Pierre de Dreux, à cette sanglante *guerre de Succession* aussi qui opposa Charles de Blois, allié du roi de France, à Jean de Montfort soutenu par les Anglais et par les Nantais — que de sièges héroïques ! — et évoque enfin l'attachante figure de la duchesse Anne, fille de François II, dernier duc de Bretagne.

Nantes, devenue française, continua à jouer un rôle important. Henri IV mettra neuf années avant de pénétrer dans la ville où il promulgua le fameux *Edit* que son petit-fils, Louis XIV, révoqua quatre-vingt-sept ans plus tard.

Ce n'est pas en vain qu'une chanson nous conte les « ennuis » d'un pensionnaire de la prison de Nantes. Que de prisonniers, en effet ! Que d'exécutions ! En 1440, c'est le fameux Gilles de Rais, pendu au gibet de Biesse tandis que l'on fouettait tous les enfants de la ville afin qu'ils se souvinssent toute leur vie de l'événement. En 1626, c'est le marquis de Chalais, exécuté par la faute de Gaston d'Orléans (voir p. 206). En 1654, c'est l'incarcération de Gondi, cardinal de Retz, qui réussit d'ailleurs à s'évader par la courtine sud du château. En 1661, c'est, par d'Artagnan, l'arrestation de Fouquet. En 1718, c'est l'épilogue de la conjuration de Cellamare et l'exécution des conspirateurs. En 1793 et 1794 ce sont les atroces noyades dans la Loire — la baignoire nationale — voulues et organisées par le sinistre Carrier et sa bande de tueurs. Le 29 mars, c'est la déchirante exécution de Charette. La dernière prisonnière de Nantes fut la duchesse de Berry... mais elle ne resta que deux jours au château (du 7 au 9 novembre 1832) et ce fut là une incarcération d'opérette.

La ville vécut des heures cruciales de 1940 à 1945. 50 otages furent fusillés en octobre 1941. Les bombardements causèrent la mort de 1.400 Nantais et en blessèrent 2.500. 903 immeubles furent totalement détruits et 1.277 très sérieusement touchés.

LE CHATEAU. — Lorsque Henri IV vit cette puissante forteresse, il s'exclama :

— Ventre Saint-Gris, mes cousins les ducs de Bretagne n'étaient pas de petits compagnons !

Le Château fut construit au milieu du XVe siècle par le duc François II et modifié à la fin du XVIe par le duc de Mercœur, adversaire du roi Henri IV. A l'intérieur de l'enceinte plantée d'arbres, on découvre différents bâtiments : * le *Grand Logis* et la tour de la *Couronne d'or* (XVe). Là demeura la duchesse Anne, femme de deux rois de France (voir p. 59 à 86) ; * le *Petit Gouvernement* (XVIe) ; et enfin le *Harnachement* (XVIIIe). * Dans le *Grand Gouvernement,* se trouve l'intéressant *musée d'Art populaire* régional, et, * dans le *Grand Logis,* le *musée d'Art décoratif* que l'on pourrait appeler le musée du style français. Ces deux réalisations — deux vraies réussites — sont dues à M. J. Stany Gauthier, conservateur du Château.

CATHEDRALE SAINT-PIERRE. — Magnifique ensemble gothique commencé en 1434 par Guillaume de Donmartin. La nef a 100 mètres de long et 38 de haut. Dans le croisillon-sud se trouve le très beau tombeau de François II et de sa seconde femme Marguerite de Foix. A côté de la cathédrale : la *Psalette*, joli logis de style gothique flamboyant, où demeuraient les chanoines.

* Ne pas quitter Nantes sans flâner au QUAI DE LA FOSSE, tout « parfumé d'une odeur d'aventure », ainsi que l'a fort bien dit le Nantais Bernard Roy. Le quai est bordé de vieux hôtels construits pour les armateurs, au XVIIIe siècle.

GRANDES HEURES : voir pages 17, 59, 72, 92 et 206.

VOIZAY

GRANDES HEURES : voir page 116.

OIRON

CE CHATEAU — un chef-d'œuvre — a été commencé au début du XVIe siècle par Artus Gouffier, Grand Maître de France, et achevé par son fils au milieu du XVIe. Au XVIIe, le duc de La Feuillade fit construire le grand corps de logis flanqué de deux pavillons. Mme de Montespan s'y retira et y mourut. Depuis 1941, le château appartient à l'Etat. * Dans la *galerie des Fêtes*, longue de 55 mètres, belles fresques du XVIe. Le château compte plusieurs beaux plafonds à poutres peintes ou à caissons, ainsi qu'une intéressante * collection de carreaux émaillés provenant de la faïencerie d'Oiron — dite de Saint-Porchaire.

L'EGLISE du village — autrefois chapelle du château — est un gracieux édifice de transition, alliant heureusement la fin du flamboyant et le début de la Renaissance.

ORLÉANS

Pour l'histoire de la ville, voir pages 17, 33 à 37, 123, 126 à 134, 140, 232 à 234.

La ville a terriblement souffert pendant la dernière guerre.

* L'*Hôtel de Ville,* construit au milieu du XVIe siècle (voir p. 123). — * La *cathédrale Sainte-Croix.* Du XIIIe siècle, il ne reste plus que les chapelles du chevet. Une partie du *chœur* est du XIVe et les travées de la nef du siècle suivant. La cathédrale actuelle qui enrobe ces différents fragments d'époque, a été commencée au début du XVIIe et achevée dans les premières années du XIXe. La façade occidentale est un adroit pastiche exécuté au XVIIIe par Trouard. * La *Bibliothèque ancien évêché* (voir p. 232). * L'*église Saint-Aignan* (XVe) dont il ne reste plus que le chœur et le transept. Le reste a été détruit à l'époque des Guerres de Religion. * La *salle des Thèses* (XVIe), rue Pothier. * *Hôtel des Créneaux,* place de la République, ancien hôtel de ville construit au début du XVIe, abrite aujourd'hui l'intéressant *musée des Beaux-Arts* et le *cabinet des Estampes.* (Belle collection) — La *Maison de Jeanne d'Arc,* rue du Tabour fut malheureusement très abîmée en 1940. Dans la même rue et à côté : * la *Maison de la Porte Renard* (époque François Ier). Voir un peu plus loin, * la *Maison d'Euverte Hatte* également de l'époque François Ier, qui a été endommagée par l'incendie de 1940.

PONTS-DE-CÉ

La longue rue du village enjambe sept ponts qui ont été en partie détruits en 1944.

Le *château du* XVe *siècle* (donjon pentagonal).

GRANDES HEURES : voir pages 154, 198.

Les Ponts-de-Cé connurent d'autres heures rouges.

C'est ici, au XVIe siècle, que le maréchal Pierre Strozzi jeta dans la Loire les 800 ribaudes qui encombraient la marche de son armée. C'est encore ici, en 1793, que 2.000 Vendéens furent fusillés par les Républicains dans l'île entourant le château.

RICHELIEU

Ville construite par Jacques Mercier et sur l'ordre et les instructions de Richelieu. Le château du Cardinal-Duc a été démoli, mais le bourg, entouré de remparts, a gardé son aspect d'autrefois. La Grande Rue qui coupe en deux le quadrilatère est bordée de 28 hôtels, tous construits sur le même modèle.

SAINT-AIGNAN-SUR-CHER

Château de style Renaissance dont la construction a été commencée par Claude Hussin, tué à la bataille de Pavie. Les travaux furent poursuivis par Beauvillier à qui François Ier avait donné la baronnie de Saint-Aignan. Louis XIV érigea la terre en duché pour le père du duc de Beauvillier, qui sera gouverneur de ses trois petits-fils : Bourgogne (père de Louis XV), Anjou (futur Philippe V d'Espagne) et Berry. La dernière héritière des Beauvillier épousa Elie de Talleyrand-Périgord. Leur fille étant morte sans postérité, le château appartient aujourd'hui aux La Roche-Aymon, descendants d'une autre branche des Beauvillier.

Non loin du château, on voit * *les ruines de la forteresse médiévale* élevée au XIIIe siècle et achevée au XVIe.

SAINT-BENOIT-SUR-LOIRE

« Haut lieu » et foyer de civilisation depuis l'époque des Gaulois. Les druides venaient à *Floracium* chaque année. Au VIIe siècle, un Orléanais fonda le monastère bénédictin qui, 300 ans plus tard, comptait jusqu'à 6.000 élèves. Le corps de saint Benoît, après le pillage du Mont-Cassin par les Lombards, fut inhumé dans l'abbaye qui, lieu de pèlerinage, devint vite la plus considérable et la plus riche de France. Sous la révolution l'abbaye fut détruite à l'exception de :

* *L'église abbatiale* qui, avec Vézelay, est le plus bel édifice roman que nous possédions en France. * Le *porche* (*narthex* ouvert de trois côtés) a été construit de 1067 à 1108. Il était autrefois surmonté de créneaux, mais les moines ayant refusé d'accepter le nouvel abbé commendataire, le cardinal Duprat, nommé par François Ier en 1527, le roi vint les mettre à la raison et le porche fut découronné. * Le *chœur* d'une hauteur de 20 mètres est une des merveilles de la France. Il est dallé d'une mosaïque du Ve siècle. Au centre du chœur se trouve le tombeau d'un roi de France un peu oublié : Philippe Ier qui fut d'ailleurs excommunié pour avoir enlevé la femme du comte d'Anjou, ce qui ne l'empêcha pas de mener joyeuse vie jusqu'à sa mort et de trouver le plus beau lieu de sépulture qu'un homme puisse rêver. La *nef* fut construite de 1150 à 1218 (le croisillon sud a été refait au milieu du XIXe). Ne pas oublier d'aller admirer le *portail latéral nord* (début du XIIIe). * C'est la *crypte,* de la fin du XIe, qui contient les reliques de saint Benoît. Pendant les guerres de religion la châsse qui pesait 35 livres d'or fut pillée par Odet de Coligny (frère de l'Amiral) qui avant de devenir protestant était... l'abbé de Saint-Benoît et connaissait par conséquent la valeur et l'emplacement du Trésor de l'abbaye !

SAINTE-CATHERINE-DE-FIERBOIS

GRANDES HEURES : voir pages 23, 24, 32.

SAINTE-MAURE

Château du XVe siècle (aujourd'hui une école). Louis XIV y logea. Autrefois s'élevait ici une forteresse construite à la fin du Xe siècle par l'inévitable Foulques Nerra.

SAUMUR

VILLE. — Les Anglais ne parvinrent jamais à prendre Saumur, mais les protestants, au XVIe siècle, en firent leur fief. Sous Louis XV fut fondée la célèbre *Ecole d'Equitation* qui devint plus tard *l'Ecole de Cavalerie*. En 1793, les Vendéens de La Rochejaquelein et de Lescure prirent la ville et y restèrent du 9 au 24 juin. En 1940 les 2.200 élèves de l'école défendirent héroïquement la ville et les environs contre 25.000 Allemands.

GRANDES HEURES : voir pages 140, 145.

* *Maison de la Reine de Sicile* (mère du roi René et belle-mère de Charles VII). — L'hôtel du XVe situé dans l'*île Offard,* a beaucoup souffert lors des combats de 1940. — L'*Hôtel de Ville* (XVIe siècle) flanqué d'échauguettes (façade forteresse féodale, façade intérieure plus élégante). — * Notre-Dame de Nantilly (XIIe, remaniée au XVe) — * Voir l'oratoire de Louis XI et un bel ensemble de tapisserie (*Tenture du Bal des Sauvages,* 1500).

LE CHATEAU. — Forteresse du XIVe siècle, remaniée au XVIe et au XVIIe par Duplessis-Mornay. Les tours étaient autrefois plus hautes et coiffées de poivrières aiguës (voir p. 14). On les a rétablies dernièrement sur les tours sud et est. Le château fut prison et caserne (Fouquet, arrêté à Nantes, y fut enfermé). Depuis 1906, il appartient à la ville qui y a installé le *musée du Cheval* où se trouvent une intéressante collection de mors, étriers, éperons, fers, selles, harnachements et même le squelette de *Flying-Fox,* coursier célèbre du début du siècle.

* *Notre-Dame des Ardilliers* (à dix minutes de la ville, sur la rive gauche de la Loire). Pèlerinage célèbre. La voûte de la nef (XVIe) a été détruite en 1940.

SELLES-SUR-CHER

CHATEAU construit sous Henri IV par le frère de Sully.

EGLISE SAINT-EUSICE dont le clocher et le transept datent du XIIe siècle. La nef est coiffée d'une belle charpente en bois, également du XIIe.

SERRANT

Le *château* est une superbe demeure Renaissance, flanquée de tours coiffées de dômes. Il fut commencé au XVIe siècle par Charles de Brie, d'après des plans de Philibert Delorme et achevé au XVIIIe. A l'intérieur, très belles œuvres d'art qu'il faudrait toutes citer.

PROPRIÉTAIRES. D'abord les maisons de Brie, de Rohan-Montbazon, puis le château appartint à Bautru, marquis de Vaubrun qui y reçut Louis XIV. Serrant qui a été restauré par Magne est aujourd'hui la résidence de la duchesse de La Trémoille.

SULLY-SUR-LOIRE

LA VILLE a terriblement souffert en juin 1940 et en juin 1944. Près de la moitié de Sully a été anéantie. Bien des vieux logis se sont écroulés.

LE CHATEAU féodal, de la fin du XIVe, est coiffé de toits aigus et flanqué de deux grosses tours rondes. Du haut de son chemin de ronde, on découvre une belle vue sur la Loire. A l'intérieur : * *salle des Gardes,* * *chambre du Roi,* vestiges du *théâtre* et surtout * la *Grande Salle* dominée par une magnifique charpente en châtaignier. C'est dans cette partie que fut reçue Jeanne d'Arc par La Trémoille, alors propriétaire du château (voir p. 38 et 39).

* Le *Petit Château,* de la fin du XVIe fut ensuite remanié par Maximilien de Béthune, marquis de Rosny, devenu duc de Sully. Le grand ministre acquit

le château en 1602 et éleva la *tour de Béthune.* * On visite l'ancien cabinet de travail de Sully où, après la mort de Henri IV, il composa ses *Royales économies.* Ses quatre secrétaires, levés à trois heures du matin, recopiaient le travail qui était ensuite imprimé au château même... mais l'ouvrage n'en était pas moins daté d'Amsterdam.

Au début du XVIIIe siècle, un duc de Sully — descendant du ministre — reçut au château le jeune Voltaire qui y fit représenter les *Nuits galantes*... et en passa lui-même quelques-unes, particulièrement dans le parc.

TALCY

GRANDES HEURES : voir page 127.

TOURS

LA VILLE. — Tous les rois de France, de Saint Louis à Henri IV, y séjournèrent ou y demeurèrent (tel Louis XI).

GRANDES HEURES : voir pages 15, 18, 31, 50 à 56, 58, 62, 66, 76, 81 à 83, 94, 116, 122, 127, 136 à 139, 147 à 149, 188 à 189, 199, 214, 238.

Du 10 au 13 juin 1940, Tours devint le siège du gouvernement. Du 18 au 20 (bataille de Tours) une partie importante de la ville (moitié nord de la *rue Nationale*) fut détruite. Plus de 3.000 immeubles brûlèrent. De 1940 à 1944, Tours, ville martyre, fut bombardée à 37 reprises. Plus de 10.000 habitants périrent de juin 1940 au 20 août 1944, date à laquelle les Allemands firent sauter les ponts, l'avant-veille de leur départ.

* *Cathédrale Saint-Gratien.* — Splendide ensemble gothique, gothique flamboyant et même Renaissance, commencé au XIIIe siècle par Etienne de Mortagne, poursuivi au XVe par Jean de Daumartin et Jean Papin. La façade et les tours ne furent terminées que vers 1550.

* Le *cloître de la Psalette* (à gauche de la cathédrale) servit de cadre à Balzac pour la maison de Mlle Gamard, dans *le Curé de Tours.*

* *Ancien archevêché* (aujourd'hui *musée des Beaux-Arts*). Bel édifice dont les soubassements datent du XIe et du XIVe siècle. Le musée des Beaux-Arts a rassemblé les œuvres ornant autrefois les châteaux d'Amboise, de Chanteloup, de Richelieu, etc. Il compte des toiles de maîtres que le Louvre pourrait lui envier.

* *Cloître Saint-Martin* (3, rue Descartes), *tour du Trésor* (rue des Halles), *tour Charlemagne* (place Châteauneuf). C'est là, à peu de chose près, tout ce qui subsiste de la célèbre *abbaye Saint-Martin* du XIIIe siècle, sans doute en partie détruite par les huguenots en 1562, mais rasée en 1802 pour le percement de la rue des Halles (on n'avait alors aucune considération pour le style gothique...).

* *Eglise Saint-Julien.* — Porche du XIe. Nef de cinq travées construites aux XIIIe et XIVe. De l'ancienne abbaye subsiste la salle capitulaire du XIIe (voir p. 188).

* *Cour de la caserne Mesnier.* — Là se dresse encore une tour du XIIe (dite *tour de Guise*). C'est tout ce qui reste du château fort élevé par Henri II Plantagenet.

* LE VIEUX TOURS. *Rue Colbert* (principale artère du Moyen Age avec les *rues du Commerce* et *du Grand-Marché*. Maisons du XVIe : Nos 4, 5, 6, 8. Maisons du XVe : Nos 23, 25, 27, 29 (*Maison de la Pucelle armée,* voir p. 148). *Place Foire-les-Rois :* Maisons du XVe. Au 8, l'*Hôtel Babou de la Bourdaizière* (voir p. 148), aujourd'hui *Musée archéologique* de Tours. — *Rue du Cygne :* N° 27 (hôtel du XVe-XVIe). — *Rue de Châteauneuf :* N° 11, hôtel du premier maire de Tours, Jean de Briçonnet (1462). — *Rue de l'Arbalète :* Nos 5 et 6, hôtels du XVIe. — *Place du Grand-Marché, fontaine de Beaune,* datant du début du XVIe (voir p. 148). — *Rue des Trois Ecritoires :* N° 7 (XVIe siècle). — *Rue Briçonnet* (la plus ancienne rue de la ville) : N° 16, *Hôtel de Pierre du Puy* que l'on peut visiter ; N° 21, *Hôtel de Choiseul.* Vieilles maisons du XVe : Nos 29, 31, 35. — *Rue du Mûrier :* Nos 5 et 7, maisons recouvrant une chapelle souterraine du XIe siècle. — *Rue du Poirier :* Nos 4, 5, 8, 9, 12. — *Rue Paul-Louis Courier :* N° 10, *Hôtel Binet* (fin XVe) ; N° 15, *Hôtel Robin,* sur l'emplacement de la maison de Jeanne d'Arc (voir p. 31) ; N° 17, *Hôtel Juste* (XVIe).

HOTELS ET MAISONS DÉTRUITES EN 1940. — *Rue Nationale,* maison natale de *Balzac* et *Hôtel de Semblançay* (voir p. 94) et surtout les deux bâtiments du XVIIIe à l'angle du quai de la Loire. Celui de gauche, en regardant le fleuve, contenait une bibliothèque de 2.000 manuscrits, de 451 incunables et de 165.000 volumes. Seules les pièces mises à l'abri ont été sauvées. L'*Hôtel Gouin,* toujours rue du Commerce, a été gravement endommagé mais pourra être restauré.

CHATEAU DE PLESSIS-LEZ-TOURS. (A deux kilomètres du centre de la ville.) Le château dont il ne reste plus qu'un corps de logis en briques et pierres (voir p. 62) a été construit par Louis XI qui y demeura le plus souvent possible. C'est là qu'il mourut le 30 août 1483 dans une chambre du premier étage qui abrite aujourd'hui un Musée de la soie tourangelle.

GRANDES HEURES : Voir « Grandes Heures de Tours ».

En 1885 on pouvait voir sur le logis se balancer un écriteau : « *Maison à vendre ou à louer.* » Le docteur Chaumier acheta le château et le restaura. Depuis 1932, il appartient à la ville de Tours.

USSÉ

Un des plus beaux châteaux de Touraine qui, dit-on, servit de cadre à Perrault pour sa *Belle au Bois dormant.* Ussé est une forteresse médiévale. La façade extérieure comporte des tours de défense, des mâchicoulis, un chemin de ronde, un donjon (angle sud-ouest), mais cet appareil guerrier et cette sévérité sont atténués par les clochetons de la toiture, les aimables façades décorées enserrant la cour d'honneur, autrefois cour intérieure. L'ensemble fut commencé, sous Louis XI, par Jean de Bueil, poursuivi par Jacques d'Espinay (chambellan de Louis XI et de Charles VIII), achevé par Charles d'Espinay, sous les règnes de Louis XII et de François Ier.

Le *logis sud* est mi-gothique, mi-classique ; le *logis ouest*, Renaissance ; et le *logis est*, gothique. Quant au *logis nord*, il fut démoli au XVIIe siècle pour dégager la vue. * Voir les terrasses, les jardins, la chapelle (première moitié du XVIe) et * la chambre de Louis XIV... que l'on attendit en vain.

PROPRIÉTAIRES. René d'Espinay vendit le domaine en 1557 à Suzanne de Bourbon. Aux XVIIe et XVIIIe siècles, Ussé devint la propriété des Valentinay. Vauban y demeura sous Louis XIV et la duchesse de Duras, sous l'Empire. Aujourd'hui le château appartient au comte de Blacas.

VALENÇAY

Ce majestueux château Renaissance a été construit au milieu du XVIe siècle par Jacques d'Estampes et achevé par Dominique d'Estampes. La féodalité n'est plus ici qu'un souvenir. Le *donjon* (entrée du château) est flanqué de tourelles et ceint de mâchicoulis, mais il est coiffé d'un toit aigu, percé de hautes lucarnes ouvragées et surmonté de cheminées. Les tours d'angle se terminent par des dômes presque bulbeux. Une aile orientale, couverte d'un toit à la Mansard, fut ajoutée au XVIIe siècle.

La branche d'Estampes-Valençay garda le domaine jusqu'en 1745, Valençay passa alors entre les mains de Louis Chaumont de la Millière, puis entre celles du fermier général de Villemerieu et appartint enfin à M. de Luçay qui vendit le domaine à Talleyrand.

— Je veux que vous achetiez une belle terre, avait dit Napoléon à son ministre, et que vous y receviez.

Aussi l'Empereur paya-t-il la plus grosse part de la somme que M. de Luçay exigeait pour son domaine.

C'est pourquoi Napoléon estima pouvoir se servir de Valençay à sa guise. Il désigna le château comme résidence surveillée au roi d'Espagne Ferdinand VII qui avait perdu son trône au cours de l'aventure napoléonienne. Talleyrand toucha un loyer assez coquet... ce qui n'était que justice car Ferdinand, durant les six années qu'il demeura à Valençay, sema les pièces d'apparat de pièges à loup — c'était là sa manie — et se livra à des travaux hydrauliques en chambre — une autre marotte — qui obligèrent Talleyrand, lorsqu'il récupéra le château en 1814, à refaire toute la décoration intérieure. En 1816, le Congrès de Vienne terminé, le prince vint demeurer à Valençay avec sa nièce, Mme de Dino. Durant près de vingt ans, ils reçurent au château tout ce qui portait un nom dans le monde de la politique, de la diplomatie, de l'aristocratie et des lettres.

Le château appartint ensuite au neveu de Talleyrand — Napoléon-Louis, duc de Valençay, de Talleyrand et de Sagan. A sa mort, en 1900, le domaine fut morcelé et les admirables collections dispersées. Valençay est aujourd'hui propriété de la duchesse de Talleyrand et de Valençay.

VENDOME

LA VILLE fut l'objet de fréquentes convoitises. Français et Anglais, durant toute la guerre de Cent Ans, luttèrent pour sa possession. C'est à Vendôme, en 1227, que la mère de Saint Louis signa le traité auquel la ville donna son nom et qui mit fin provisoirement à la révolte des grands féodaux. Vendôme, après avoir appartenu aux Bourbons, fut donnée par Henri IV à son bâtard, César de Vendôme.

* *Abbatiale de la Trinité.* — Magnifique église construite depuis l'époque romane jusqu'à l'époque Renaissance. La *façade*, de style flamboyant, est un

des plus beaux ensembles que l'on puisse trouver en France. Dans le *chœur*, vitraux du XIIe. * Le *clocher* féodal de l'ancienne abbaye se dresse isolé. Il est surmonté d'un étage et de clochetons soutenus par des colonnettes. * *Porte Saint-Georges* (XVe) dont la toiture a malheureusement brûlé en 1940.

LE CHATEAU des comtes de Vendôme a été construit, du XIIe au XVe siècle, sur un plateau dominant la ville du côté de la route de Tours. C'est une ruine imposante. * Du haut de la *tour de Poitiers* (reconstruite au XVe) on découvre une très belle vue, mais l'ascension, par une échelle, n'est recommandée qu'aux personnes ingambes...

VILLANDRY

Très bel ensemble Renaissance, construit en 1532 pour Jeon Le Breton, secrétaire d'Etat de François Ier. Le château est aujourd'hui si bien restauré par le Dr Carvallo que Villandry semble un « *à la manière de...* ». De l'ancien château féodal subsiste un gros donjon carré : * le *Colombier*. C'est là qu'en 1189 Henri II Plantagenet, battu par Philippe Auguste, signa sa défaite.

* Voir la magnifique collection de toiles de l'école espagnole.

* Les trois terrasses de Villandry (jardin d'eau, jardin d'ornement, jardin potager) sont des merveilles. La partie la plus réussie est peut-être le jardin potager dont les légumes forment un damier décoratif aux mille couleurs.

GRANDES HEURES : voir pages 94, 238.

VILLESAVIN

Bien attachant manoir construit en 1537 pour Jean Le Breton, administrateur de la construction de Chambord. La jolie façade est ornée d'inscriptions pittoresques.

GRANDES HEURES : voir page 94.

DE GIEN A NANTES

UN ITINÉRAIRE

JE me permets de suggérer au lecteur un peu pressé un itinéraire rapide qui lui permettra de parcourir « le Jardin de la France » en trois ou quatre jours en rayonnant de BLOIS et de TOURS.

I * *Blois* (visite). — Sortir de Blois par la *N. 751* longeant la rive gauche de la Loire. — On jettera un coup d'œil sur le château de *Menars* qui se dresse sur l'autre rive du fleuve. — * *Chambord* (visite). — *Bracieux.* — Château d'*Herbault* (visite extérieure. Léger détour de 3 km.) — *Villesavin* (extérieur). — * *Cheverny* (visite). — *Fougères* (extérieur). — * *Chaumont* (visite). — Retour à Blois.

II Sortir de Blois par la *N. 156.* — Eglise de Selles. — * *Valençay* (visite extérieure). — *Luçay-le-Mâle* (vue extérieure du château. *Nouans* (église). — *Montrésor* (église et visite extérieure du château). — *Chartreuse de Liget* (solliciter l'autorisation si l'on désire visiter). — * *Loches* (visite). — * *Chenonceaux* (visite). — *Pagode de Chanteloup* (visite rapide). — * *Amboise* (visite). — Gagner Tours par la rive droite de la Loire, *N. 152* (belle vue). — * *Tours* (visite de la ville).

III Sortir de Tours par la *N. 152* et suivre jusqu'à Saumur la rive droite de la Loire (très belle vue sur le fleuve). A Port-de-Luynes prendre la route pour Luynes (détour d'un km.). *Luynes* (extérieur). — *Cinq-Mars-la-Pile* (extérieur). — * *Langeais* (visite). — Avant La Chapelle-sur-Loire on aperçoit à gauche, sur l'autre rive, le château d'Ussé où l'on s'arrêtera au retour. — * *Saumur* (extérieur du château). — Revenir vers Tours par la *N. 751.* — *Montsoreau* (extérieur). — *Candes* (église). — * *Chinon* (visite). — Huismes. * *Ussé* (extérieur). — Rivarennes. — * *Azay-le-Rideau* (visite). — * *Villandry* (visite des jardins). — Tours.

DE GIEN A NANTES

LES CHÂTEAUX
ET CITÉS
DU VAL DE LOIRE

N. B. — Les châteaux en caractère *italique* sont accompagnés d'un dessin d'Alfred Caton.

TABLES DES MATIÈRES

TABLES DES CHAPITRES

CARTES, PLANS, TABLEAUX GÉNÉALOGIQUES

ACHEVÉ D'IMPRIMER
LE 10 FÉVRIER 1983
SUR LES PRESSES
DE BERNARD NEYROLLES
IMPRIMERIE LESCARET
À PARIS

Nº d'éditeur : 44
Dépôt légal : 1er trimestre 1971
Imprimé en France